JN091994

シリーズ・とは何か？

1

EXPO

万国博覧会

知られざる歴史とSDGsとのつながり

稲葉茂勝
渡邉　優
［著］

ミネルヴァ書房

巻頭カラー特集

1 ポスターで見る戦前の万博

国際博覧会（万博）は1851年、ロンドンのハイドパークで開かれた「第1回ロンドン万国博覧会」から始まりました。本書の冒頭は、第二次世界大戦までに行われた主な万博をポスターで見ていきます。

①

②

③

④

⑤

RÉPUBLIQUE FRANÇAISE
MINISTÈRE DU COMMERCE DE L'INDUSTRIE DES POSTES ET TÉLÉGRAPHES
EXPOSITION UNIVERSELLE & INTERNATIONALE
DE St. LOUIS (ÉTATS-UNIS)
DU 30 AVRIL AU 30 NOVEMBRE 1904.
DE PARIS A St. LOUIS
6 JOURS DE STEAMER
ET 1 JOUR DE CHEMIN DE FER
Pour renseignements et adhésions concernant la FRANCE s'adresser au Ministère du Commerce,
Commissariat Général du Gouvernement Français, 101, Rue de Grenelle, PARIS, et au Comité
de la Section Française à la Bourse du Commerce de PARIS.
IMPORTANCE DE L'EXPOSITION
PHILADELPHIE 1876 _ 95 HECTARES
PARIS _____ 1900 _ 135 HECTARES
CHICAGO _____ 1893 _ 240 HECTARES
St. LOUIS _____ 1904 _ 500 HECTARES
Mucha
IMP. F. CHAMPENOIS _ PARIS
⑥

ROYAUME DE BELGIQUE
75e ANNIVERSAIRE DE L'INDÉPENDANCE NATIONALE
EXPOSITION UNIVERSELLE
DE
LIÈGE
L G
1905
AVRIL
NOVEMBRE
EXEMPTE DU TIMBRE
⑦

INAUGURAZIONE DEL SEMPIONE
ESPOSIZIONE INTERNAZIONALE
MILANO · 1906
APRILE = NOVEMBRE
⑧

ALGEMEENE WERELDTENTOONSTELLING
VAN BRUSSEL
1910
KOLONIALE AFDEELING
PARK VAN TERVUEREN
⑨

EXPOSITION UNIVERSELLE
ET INTERNATIONALE DE
BRUXELLES
AVRIL-NOVEMBRE
1910
⑩

⑭　©Ingrid Richter

⑬

⑪

第二次世界大戦までに行われた万博（丸数字はポスターの番号）、戦後に開催された主な万博については本文の第３章を参照。

1851年	ロンドン（イギリス）
1855年	パリ（フランス）
1862年	ロンドン（イギリス）
1867年	パリ（フランス）
1873年	ウィーン（オーストリア）
1876年	フィラデルフィア（アメリカ）
1878年	パリ（フランス）
1880年	メルボルン（オーストラリア）
1888年	バルセロナ（スペイン）①
1889年	パリ（フランス）②
1893年	シカゴ（アメリカ）③
1897年	ブリュッセル（ベルギー）④
1900年	パリ（フランス）⑤
1904年	セントルイス（アメリカ）⑥
1905年	リエージュ（ベルギー）⑦
1906年	ミラノ（イタリア）⑧
1910年	ブリュッセル（ベルギー）⑨⑩
1913年	ヘント（ベルギー）⑪
1915年	サンフランシスコ（アメリカ）
1929年	バルセロナ（スペイン）⑫
1933年	シカゴ（アメリカ）⑬
1935年	ブリュッセル（ベルギー）
1937年	パリ（フランス）⑭
1939年	ニューヨーク（アメリカ）

⑫

②写真で見る日本で開かれた5回の万博

日本は、これまでに万博を5回開催してきました。最初は、1970年です。世界の経済大国となった日本の高度経済成長期（1955年～1973年までの19年間）の終盤でした。

2010年の上海万博までは万国博覧会史上最多の入場者を誇った大阪万博。会場の中心にそびえる「太陽の塔」は、大阪万博の輝かしいシンボルとされた。

博覧会終了後も引き続き万博記念公園に残された太陽の塔。塔の頂部には未来を象徴する「黄金の顔」、正面には現在を象徴する「太陽の顔」、背面には「黒い太陽」を持つ。　©Kanesue

1970年 大阪万博（大阪府）→P166	
正式名称	日本万国博覧会
会　　期	1970（昭和45）年３月15日～９月13日（183日間）
場　　所	千里丘陵・現万博記念公園（約350ヘクタール）
テーマ	「人類の進歩と調和」
参加国	77か国（日本を含む）、４国際機関
総入場者数	6422万人

※各博覧会のデータは外務省ホームページ「日本における国際博覧会」参照

沖縄海洋博の会場となったアクアポリス。未来型海上都市のモデルとなる人工島だった。

アクアポリスを上から見たところ。
出典：国土地理院ウェブサイト

1975年 沖縄海洋博(沖縄県) →P172	
正式名称	沖縄国際海洋博覧会
会　　期	1975(昭和50)年７月20日 ～1976(昭和51)年１月18日(183日間)
場　　所	沖縄(約100ヘクタール)
テ ー マ	「海―その望ましい未来」
参 加 国	36か国(日本を含む)、３国際機関
総入場者数	349万人

沖縄海洋博記念の100円白銅貨幣。左右にマスコットキャラクターのマーク(イルカ)が入っている。

万博会場を笑顔でパレードするコンパニオン。　©ころぞう

コマ回しロボットやエレクトーン演奏ロボットなど多種多様なロボットが各パビリオンで公開され、いろいろなショーを演じた。写真は似顔絵を描くロボットの「ロボッ子」（松下館）。
© ころぞう

1985年 つくば万博（茨城県） →P176

正式名称	国際科学技術博覧会
会期	1985（昭和60）年３月17日～9月16日（184日間）
場所	筑波研究学園都市（約100ヘクタール）
テーマ	「人間・居住・環境と科学技術」
参加国	48か国（日本を含む）、37国際機関
総入場者数	2033万人

マスコットキャラクターのコスモ星丸。

花の万博会場。アジアで初めて開催された国際園芸博覧会だった。

マスコットキャラクターの花ずきんちゃん
が描かれたマンホール。

1990年 花の万博(大阪府) →P180	
正式名称：	国際花と緑の博覧会
会　　期：	1990(平成２)年４月１日 ～９月30日(183日間)
場　　所：	大阪鶴見緑地(約105ヘクタール)
テ ー マ：	「自然と人間との共生」
参 加 国：	83か国(日本を含む)、37国際機関、 18園芸関係等の国際団体
総入場者数：	2312万人

シンボルタワーとして出展された『いのちの塔』。現在も、レガシーとして花博記念公園鶴見緑地に残る。

起伏のある地形の長久手会場。会場内のため池13か所をそのまま保存し、改変を最小限にとどめるために、空中回廊を設置。歩いて１周すれば、会場全体を見渡せるようにつくられた。　提供：一般財団法人地球産業文化研究所

マンモスラボでは、シベリアの永久凍土から発掘された冷凍マンモスの頭部を展示。
提供：一般財団法人地球産業文化研究所

愛・地球博記念公園にある、マスコットキャラクターのモリゾー（右）とキッコロ像。

2005年 愛・地球博、愛知万博（愛知県）→P184	
正式名称	2005年日本国際博覧会
会　　期	2005（平成17）年３月25日 ～９月25日（185日間）
場　　所	瀬戸市南東部、豊田市、 長久手市（約173ヘクタール）
テーマ	「自然の叡智」
参加国	121か国（日本を含む）、４国際機関
総入場者数	2204万人

2025年は、大阪・関西万博（大阪・夢洲）！写真は公式キャラクターの「ミャクミャク」と著者・稲葉。

シリーズ・
とは何か？
1

万国博覧会

知られざる歴史とSDGsとのつながり

稲葉茂勝
渡邉　優
［著］

ミネルヴァ書房

はじめに

２０２５年に大阪・関西万博が開催されます。今回の万博は、「いのち輝く未来社会のデザイン（Designing Future Society for Our Lives）」をテーマに掲げ、「人類共通の課題解決に向けて、世界の英知を集め、新たなアイデアを創造・発信する場（People's Living Lab＝未来社会の実験場）」を目指しています。

「人類共通の課題解決に向けて」というと思い出されるのが、ＳＤＧｓ（エスディージーズ）＝持続可能な開発目標です。ＳＤＧｓとは、一言でいうと、世界中にある環境問題・差別・貧困・人権問題といった人類共通の課題を世界のみんなで２０３０年までに解決していこうという計画・目標のことです。「持続可能な」というのは、「人間の活動が自然環境などに悪影響を与えず、その活動を維持できること」を意味しています。

折しも２０２５年は、ＳＤＧｓの目標年である２０３０年の5年前に当たり、人類共通の課題解決に向けて「ラストスパート」をかけなければならない時期。そのため大阪・関西万博のパビリオンの出展者は、「ＳＤＧｓの17の目標から必ず一つ以上を展示に盛り込む必要がある」と求められ、まさしく「ＳＤＧｓ万博」の様相を呈してきました。

日本政府は、２００２年にＥＳＤ（Education for Sustainable Development 持続可能な開発のための教育）を世界中に広めることに成功した経験があり、２０２５年から日本がＳＤＧｓの牽引者になろうと意気込んでいるようです。

ところが、ＳＤＧｓが２０１５年に発表されて此の方、国連によればＳＤＧｓの達成状況は芳しくありません。一方、２０２３年初頭の時点で、日本国内の万博への関心は、盛り上がりがまだまだです（１９７０年と比べると雲泥の差↓P218）。

こうした中、文化庁が運営していた日本の文化プログラム紹介サイトに、万博について次のように書かれていました。

「開催は3年後に迫りましたが、『２０２５年にやるらしいね。よく知らないけど』『そもそも万博って何をする場所？　テーマパークみたいなもの？』と、存在自体は知っているものの詳細を調べるほど関心がないという方がまだまだ多いのではないでしょうか」

そのことを知った僕たちは執筆を渡邉優と稲葉茂勝が分担して、ミネルヴァ書房からの発行を計画。万博そのものを、また、２０２５年の大阪・関西万博について、そして、ＳＤＧｓとの関係などをわかりやすく、且つ、より多くの人に興味関心をもってもらえるように解説することができるのは、僕たちの他にはそうはいないと自負。２０２２年12月、急ぎ書籍にまとめることを決意しました。

今回、僕たちがまとめた本書には、多様な話題や情報を盛り込みました。例えば、１９７０年大阪万博の２年前の正月に、その後の日本人なら誰もが知ることになる♪こんにちは　こんにちは　東のくにから♪（『世界の国からこんにちは』）の曲を三波春夫さんのほかに歌った歌手は？（↓P167）といった面白い話や、２０３０年の万博にロシアとウクライナが正式に立候補をしていた！（↓P68）といった今まさに熱い話題などを交えながら、万博の歴史をはじめ、現代の世界の万博の基本情報や是非知っていただきたい知識、そしてＳＤＧｓとの関係などをしっかりまとめ、最後に２０２５年の大阪・関西万博で日本が目指すSociety（ソサエティ）5.0（↓P221）などについて記したいと思います。

この本を手に取ってくださった方には、万博について一層の興味を深めていただき、２０３０年のＳＤＧｓの目標達成のために、自分事として努力していただければ幸いです。

稲葉茂勝

1970年の大阪万博会場の中心に立つ「太陽の塔」。高さ約70メートル。大屋根を貫いてそびえ立ち、大きく腕を広げて会場を訪れる人たちを迎えた。

2025年の大阪・関西万博は、大阪市の人工島「夢洲（ゆめしま）」で開催。テーマは、「いのち輝く未来社会のデザイン」。

提供：2025 年日本国際博覧会協会

目次

第2章 万博を理解する

L'EXPOSITION UNIVERSELLE
DE 1867
ILLUSTRÉE
PUBLICATION INTERNATIONALE AUTORISÉE PAR LA COMMISSION IMPÉRIALE

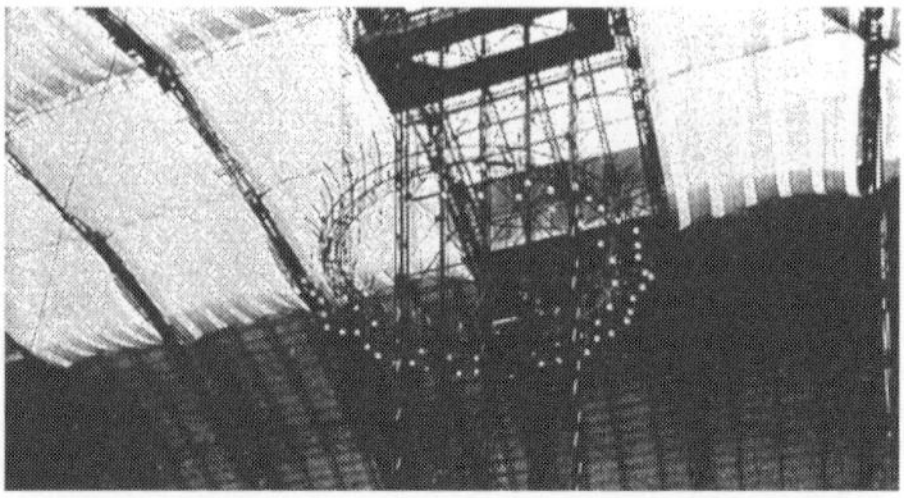

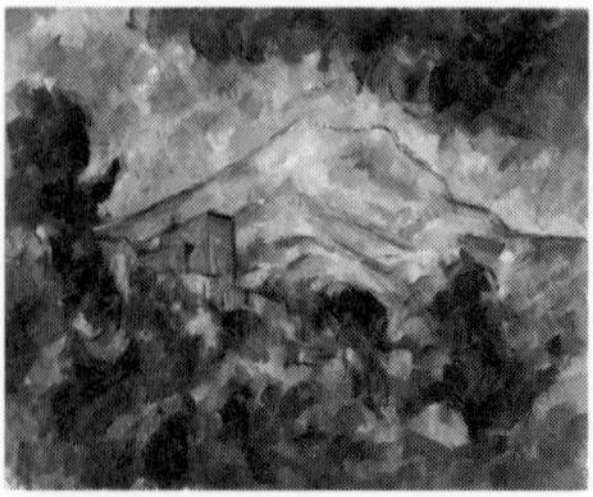

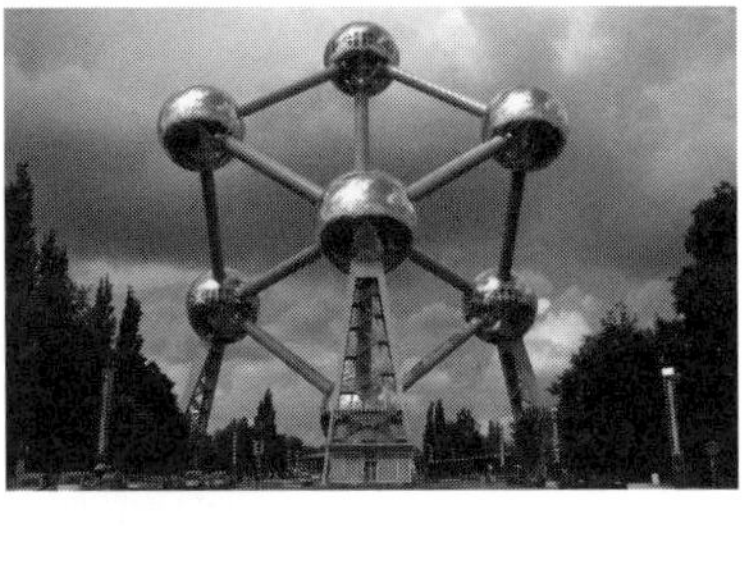

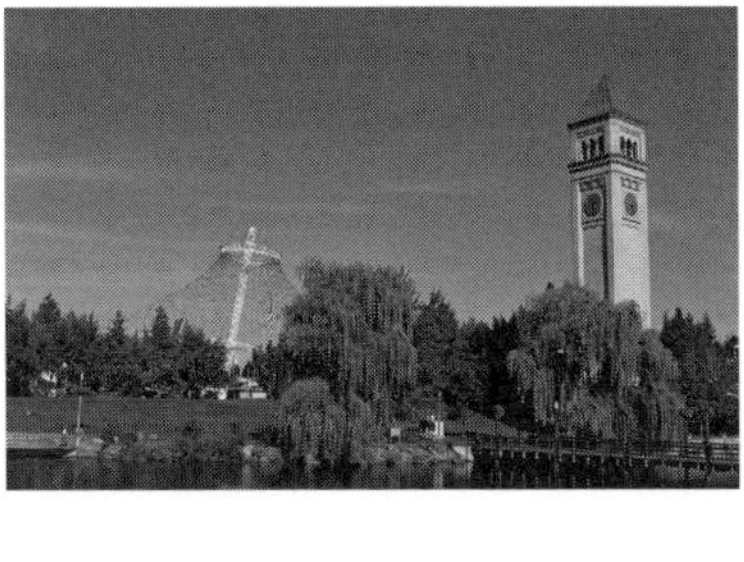

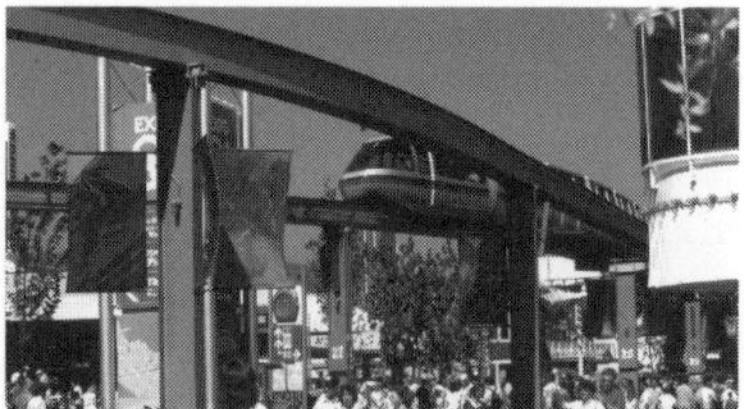

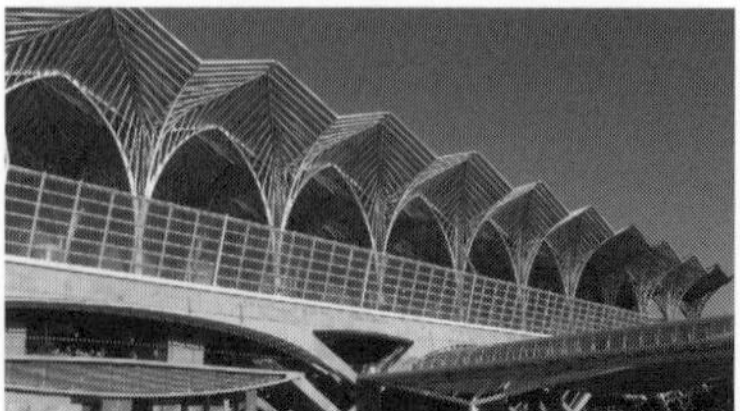

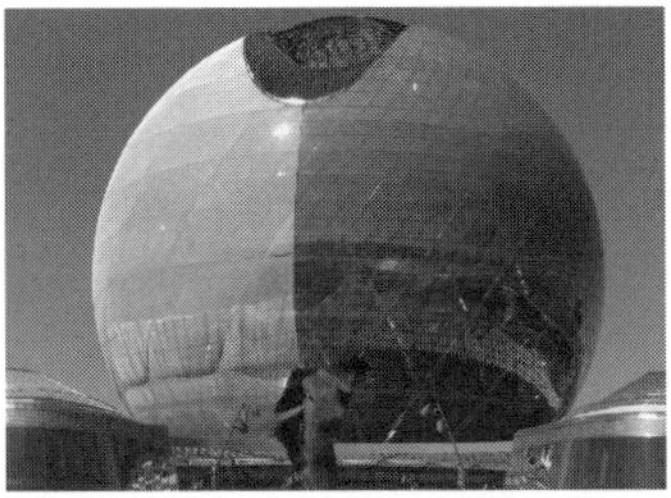

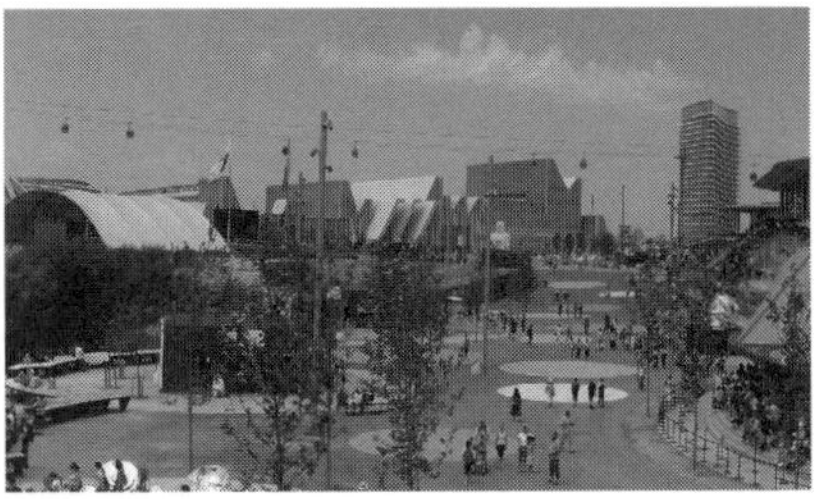

第4章　有形・無形の万博遺産

第5章 日本で開かれた5つの万博

中央ゲート
花の万博

第6章 近年の万博とSDGsとのつながり

第8章 SDGsを理解する

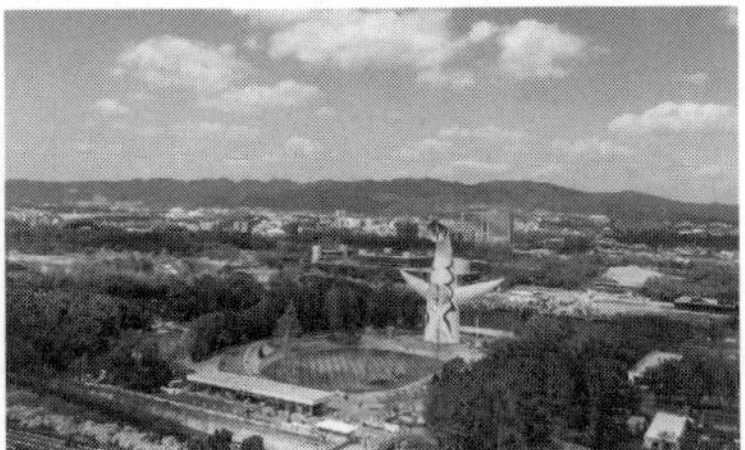

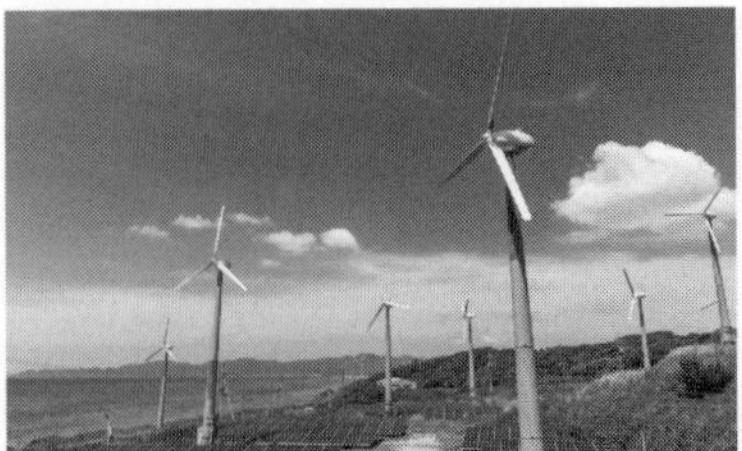

第9章 資料いろいろ

プロローグ・万博予習クイズ

本書は巻頭のグラビア特集に続いて、万博についてのクイズから始めます。本文に入る前に、まずトライ。知っているようで、結構知らないことも多いのではないでしょうか？

答え↓P26

問い①

1970年、日本で初めて開催された万博は正式名を「日本万国博覧会」というが、一般には次のどれで知られている？

㋐つくば万博
㋑大阪万博
㋒東京万博

©Kanesue

問い②

日本初の万博が開催されたときは、日本の高度経済成長期の終盤。日本中に♪こんにちは　こんにちは　東のくにから……1970年のこんにちは♪といった歌詞が響きわたった。この万博テーマソングを歌った歌手は？（複数回答）

㋐ 坂本九
㋑ 山本リンダ
㋒ 水前寺清子
㋓ 吉永小百合
㋔ 三波春夫

問い③

近代の万博の始まりは、1851年に開催された国際的な大博覧会。国力をアピールしたこの博覧会は、どの都市で開かれた？

㋐ パリ
㋑ ロンドン
㋒ ミラノ

問い④

万博は、世界に自国をアピールするチャンス。写真は、明治政府がはじめて正式に参加した万博での出展品の数々。この万博は次のどれ？

㋐ 1862年第2回ロンドン万博

㋑ 1867年第2回パリ万博

㋒ 1873年ウィーン万博

問い⑤

万博のために建設されたものは、万博終了後に取り壊されるものもあれば、長らく存続するものもある。1889年のパリ万博のときに会場内に建てられ、後にパリの名所となったのは？

㋐ 凱旋門

㋑ オペラ座

㋒ エッフェル塔

問い⑥

万博は、新しい技術や製品、モノやサービスが展示され、人々の生活がより便利になるきっかけとなってきた。1889年のパリ万博で陳列して実演され人気を呼んだものは？

㋐ラジオ
㋑電話機
㋒蓄音機

問い⑦

19世紀だけでも5回の万博を開催しているパリは、万博の聖地ともいわれている。セーヌ川周辺には、万博にかかわる多くのものが残されている。次の美術館の中で万博遺産なのは？

㋐ロダン美術館　㋑ルーブル美術館
㋒オルセー美術館

問い⑧

万博への出品を契機として爆発的にヒットし、世界的ブランドになっているものもたくさんある。次のうち、どれ？（複数回答）

㋐バカラ　㋑エルメス　㋒クリストフル
㋓ティファニー　㋔ヴィトン

問い⑨

現代の万博は、「博覧会国際事務局」という国際機関によって、一定の条約に基づいて開催されるよう監督されている。フランス・パリに本部があるこの機関の通称は？

㋐ FAO　㋑ IOC　㋒ BIE

問い⑩

2015年のミラノ万博が終わりに近づく9月25日、国連サミットで採択されたのがSDGs（エスディージーズ）（持続可能な開発目標）だ。期限を定めて、それまでに達成しようと、17個の目標（ゴール）を全会一致で決めた。その達成目標の年は？

㋐ 2020年　㋑ 2025年　㋒ 2030年

問い⑪

2020年に開催予定だった中東初の万博、アラブ首長国連邦のドバイ万博は、ある理由で延期となった。その理由とは？

㋐ パンデミック　㋑ 工事の遅れ

㋒ 地震災害

問い⑫

2025年、大阪の夢洲（ゆめしま）で開かれる大阪・関西万博は、日本で何回目の万博？

㋐ 2回目　㋑ 3回目　㋒ 4回目

㋓ 5回目　㋔ 6回目

問い⑬

21世紀に入り、万博の開催目的が、人類共通の課題解決に変わってきた。大阪・関西万博のテーマは「〇〇〇輝く未来社会のデザイン」。〇〇〇に入るのは？

㋐ ひかり　㋑ いのち　㋒ ともに

OSAKA, KANSAI, JAPAN
EXPO
2025

© Expo 2025

問い⑭

左下は大阪・関西万博の公式キャラクター。その愛称は？（選択肢なし）

© Expo 2025

問い⑮

大阪・関西万博の次の万博は、２０３０年に開催の予定だ。２０２３年6月時点では、左の4都市が立候補している。さて、開催地はどこに？

㋐ オデーサ（ウクライナ）　㋑ 釜山（プサン）（韓国）
㋒ ローマ（イタリア）　㋓ リヤド（サウジアラビア）

問い①答え ㋑ 日本はそれまでに3回も万博の開催を準備し、いずれも幻に終わっていた。悲願の万博開催は、4度目にして実現した。⇩P166

問い②答え ㋐、㋑、㋓、㋔ 大阪万博のテーマソングは、8つのレコード会社がレコードを発売。人気歌手たちの競演が話題となった。⇩P167

問い③答え ㋑ 「第1回ロンドン万国博覧会」が国際博覧会（万博）の開幕となる。⇩P30

問い④答え ㋒ 日本と万博が初めて出合ったのが㋐1862年第2回ロンドン万博、江戸幕府と佐賀藩、薩摩藩が共に参加したのが㋑1867年第2回パリ万博。⇩P36

問い⑤答え ㋒ 19世紀を象徴する「鉄」を用いた塔は、新時代のイメージを表していたが、当時はこんな塔はパリには似合わないと大反対があったという。⇩P141

問い⑥答え ㋒ 1889年に先がけて、1878年のパリ万博で、エジソンは蓄音機を出展。音を記録するものとして、当時としては画期的なことだった。ただ、何に利用するのかわからず、売れなかったとか。⇩P58

問い⑦答え ㋒ オルセー美術館は、もともと1900年のパリ万博に合わせて建設されたオルセー駅の鉄道駅舎兼ホテルだった。⇩P143

問い⑧答え ㋐㋑㋒㋓㋔全部 日本も浮世絵、銀細工、磁器など日本の産品を世界に紹介し、日本ブームを巻き起こしたこともある。⇩P159～161

問い⑨答え ㋒ フランス語のBureau International des Expositionsの頭文字。⇩P54

問い⑩答え ㋒ 大阪・関西万博は、SDGsの達成目標である2030年を5年後に控えた年に開催される。そのことが、とても重要な意味を持つ。⇩P225

問い⑪答え ㋐ 2020年1月30日、世界保健機関（WHO）は新型コロナウィルス感染症に対して緊急事態を宣言。3月11日からパンデミック（世界的な大流行）とみなせると発表。⇩P126

問い⑫答え ㋔ 大阪万博、沖縄海洋博、つくば万博、花の万博（大阪）、愛知万博と、過去に5回の万博が開催され、大阪・関西万博は6回目となる。⇩P162

問い⑬答え ㋑ 「いのち輝く未来社会のデザイン」が大阪・関西万博のテーマ。⇩P230

問い⑭答え 愛称はミャクミャク。赤い部分は「細胞」、青い部分は「清い水」。その正体は不明。⇩P298

問い⑮答え 2023年6月のBIE総会でウクライナが候補地から外れ、同年11月に行われる総会での投票で残る3都市から開催地が決定する。⇩P68

第1章　万国博覧会とは何か

1 そもそも博覧会の起源は？

「博覧会」とは、産業と文化発展のために生産品やその見本、または説明図などを展示したり即売したりする会のこと。「万博」はその巨大なものです。

起源は、紀元前

古代のエジプトやペルシャなどでは、国王即位の式典で財宝や芸術品が民衆に披露されたり、また、古代ローマでは、戦利品や奴隷を民衆に誇示したりしていました。そうした会が「博覧会」の始まりだと考えられています。[*1]

現在、平和の象徴として、より良い社会にするための様々な目的を実現する場としての役割を担っている博覧会も、歴史を遡れば戦利品や奴隷といった戦いの影が漂うものだったのです。

近代博覧会の原型

時代が下り、ヨーロッパなどでは都市部の交通や商業が発達します。次第に各都市で「市」が開かれるようになり、そうした市の中には、モノやサービスを売る人たちにまじって、技術や文化などを展示する人たちも現れます。

＊1　ローマ帝国は、勢力を拡大するための戦争で勝利を収めると凱旋パレードを行い、征服した土地の人間（捕虜）や動物、戦利品を従えてローマ市内をねり歩いた。これは軍事力を誇示することが目的だと考えられるが、ローマ市民に戦利品を一堂に集めてお披露目することは博覧会らしいかたちだともいえる。

近代の博覧会の原型が、1475年にフランスのルイ11世[*2]がロンドンで開催した「フランス物産フェア French product Fair」だとされているのは、このためです。

尚、英語の Fair には「定期市」や「博覧会」の意味があることからも、当時の「市」が近代の博覧会へと発展していったと考えることができます。

12～13世紀頃のフランス北東部・シャンパーニュ地方で定期的に開かれた「大市」。各国の物産が売り買いされている。

＊2　第6代フランス王（在位1461～1483年）。印刷術の保護、養蚕の普及、鉱山の開発など、産業政策に力を入れた王として知られる。

2 近代の万博はロンドンから

近代の万博の始まりは、1851年にイギリスのロンドンで開催された「The Great Exhibition（大博覧会）」だとされています。

世界初の万博

19世紀の中頃には定期市や博覧会が、フランスのパリやイギリスのロンドンなどで度々開かれていました。そんな中、1851年にロンドンのハイドパークで開かれた大博覧会には、34か国が参加します。

この博覧会が、当時としては「万博」というにふさわしいものだったといえます。正式名称も「第1回ロンドン万国博覧会[*1]」。これが、国際博覧会（万博）の開幕であり、近代の万博の始まりとなりました。

この万博で大きな話題となったのが、「水晶宮（クリスタル・パレス）」と呼ばれるイベント会場でした。巨大なガラスと鉄骨でできた美しい建物。そこには開催国イギリスの機械や陶器、薬品などが所狭しと展示され、イギリスの国力をアピールすることに大成功しました。それは、かつてローマ帝国が戦利品などを展示して国力を誇示したことにも似ていたのです。

＊1 **〈ロンドン万博の概要〉**
正式名称：The Great Exhibition of the Works of Industry of All Nations
会期：1851年5月1日〜10月11日
場所：ハイドパーク
参加国：34
総入場者数：603万9000人

その頃、日本は

１８５１年といえば日本では嘉永（かえい）4年、ペリー来航[*2]の2年前のことです。将軍も幕府も、万博などは夢にも考えられない頃でした。

しかし、その日本もそれからわずか15年後の１８６７（慶応３）年には、第2回パリ万博（１８６７年4月1日～10月31日）に参加したのですから驚きです（→P35）。

それでいて、大政奉還[*3]がその年の11月10日に行われ、明治政府が樹立したのが１８６８年ですから、幕末の時代の変化がいかに急激だったかが、万博の歴史からもよくわかります。

第１回ロンドン万博のイベント会場、クリスタル・パレス。

＊2　１８５３年、アメリカ合衆国の軍人マシュー・ペリーが率いる4隻の軍艦が、日本の浦賀（現在の神奈川県横須賀市にある地域名）に入港。当時、外国との交流をほとんど行わない鎖国状態にあった日本に、開国を求めた。

＊3　１８６７年、江戸幕府の15代将軍・徳川慶喜が、幕府が持っていた大政（政権）を朝廷に奉還（返上）することを申し入れ、明治天皇が受諾した出来事。朝廷に政権が返上されたことで、１１８５年に成立した鎌倉幕府以来、約７００年続いた武家による政治に幕が下りた。

万博の流行

当時、ヨーロッパでは万博が一種の流行となっていて、毎年どころか1年のうちに2～3か所で博覧会が開催された年もありました。

また、ヨーロッパから遠く離れたオーストラリアのメルボルンでは、1880年10月1日から1881年4月30日までメルボルン万国博覧会が開催され、33か国が参加しました。[*4] カールトン庭園に建設されたフィレンツェ大聖堂をモデルとした中央の展示館（P33写真）が大人気となったといわれています（19世紀唯一の万博会場として現存）。

そして国際博覧会ブームはアメリカへ移りました。当時、一番多く開催したのもアメリカです。フィラデルフィア、シカゴ、セントルイス、サンフランシスコで開催しました。

そうした状況が、後述する国際博覧会に関する条約（BIE条約[*5]）につながっていきます。BIE条約には、31か国が調印しました。日本も調印したのですが、すぐに批准することをしませんでした。そのため、日本は非加盟国となります。理

展示館の参考とされた、イタリアのフィレンツェにあるフィレンツェ大聖堂。 ©TTTNIS

＊4〈メルボルン万博の概要〉
正式名称：International Exhibition of Arts,Manufactures and Agricultural and Industrial Products of all Nations
会期：1880年10月1日～1881年4月30日
場所：ロイヤル・エキシビジョンビルディング
参加国：33
総入場者数：133万人

＊5 万博の秩序ある開催と運営を図ることを目的として、それまでばらばらに行われていた万博の開催期間・頻度、開催者・参加国の義務、組織などについて規定した。

由は、複雑な外交関係によるものでした。

尚、BIE条約を批准していなかったことが、来る1940（昭和15）年の日本での万博開催計画の障壁になったといわれています[*6]（↓P40）。

メルボルン万国博覧会の会場の中心に建てられた展示館。博覧会終了後も「王立展示館」として様々なイベントの会場として使われている。

＊6　一般には条約非加盟国も万博をBIE公認の下で開催可能。BIEの認証を受けていない博覧会は、規模が大きくても万国博覧会を名乗ることはできない（↓P54）。

3 日本と万博の出合い

日本と万博との出合いは、まずは遣欧使節団が視察、次に幕府（政府）と地方が共に参加、そして国（新政府）として参加するという3段階を踏んで実行されました。

当時ヨーロッパでは

初期の万博をリードしていたのはイギリスとフランスでした。その先駆けが１８５１年のイギリスで、イギリスは、１８６２年にもロンドンで国際博覧会を開催しました。

日本人が初めてこうした万博と出合ったのは、遣欧使節団[*1]が１８６２（文久２）年の「ロンドン万博」を訪れたときでした（その様子は福沢諭吉[*2]が記した「西洋事情」で紹介されている）。一方、フランス（パリ）もイギリスと張り合うように万博を開催。日本の幕末・明治期に当たる期間だけでも5回（１８５５年、１８６７年、１８７８年、１８８９年、１９００年）、国際博覧会を開催しました。

＊1　1862年に、江戸幕府がヨーロッパの国々（オランダ、イギリス、フランス、プロイセン、ポルトガル、ロシア）に派遣した福沢諭吉などを含む総勢38名の使節団。1858年に結んだ日米修好通商条約で決められた、兵庫・新潟開港と江戸・大阪開市の延期交渉、ロシアとの樺太国境問題に関する交渉を主な目的として派遣された。

＊2　明治時代の思想家であり、教育者（1835～1901年）。現在も残る慶應義塾大学を創立。また、執筆の面でも優れた才能を発揮。代表作である『学問のすゝめ』は、明治初期のベストセラーとなった。

第2回パリ万国博覧会

1867年4月1日～11月3日、パリのシャン・ド・マルスで、第2回パリ万国博覧会*3が開催されました。その際には、江戸幕府の第15代将軍・徳川慶喜（よしのぶ）*4が、ナポレオン3世*5から招待状を送られていました。しかし慶喜は、自分はパリに出向かず、14歳の弟・昭武（あきたけ）を代表とし、7人の侍たちと諸藩の留学生や商人を同行させました。ところが彼らが到着する以前に、当時薩摩藩の若者たちが既にヨーロッパに渡り、ヨーロッパ諸国との新たな関係を模索していたのです。

そうした中、万博では、薩摩藩が

1867年のパリ万博に参加した将軍名大・徳川昭武一行の集合写真。中央の壇上にいるのが昭武。後列左端は渋沢栄一。　渋沢史料館所蔵

---

*3 〈第2回パリ万博の概要〉
正式名称：Exposition Universelle de Paris 1867
会期：1867年4月1日～11月3日
場所：シャン・ド・マルス
参加国：42
総入場者数：1500万人

*4 大政奉還（→P31）を行った江戸幕府最後の将軍（在位1866～1867年）。

*5 フランス第二帝政の皇帝（在位1852年～1870年）。当時、不衛生な状態にあったパリの大規模な改造を、セーヌ県知事に命じて行い、上下水道や街路の整備など都市の近代化を進めた。

「日本薩摩琉球国太守（たいしゅ）政府[*6]」の名で出展していました。一方、幕府も、佐賀藩に参加要請をして出展。こうした状況を見た諸外国は、当時の幕府が既に権威を失っていると考えたのではないかといわれています。それは、まもなく歴史が証明します。

この後、薩摩藩は長州藩と組んで幕府を倒し、明治新政府をつくることに。結局、明治政府として初めて公式に万博に参加したのは、１８７３（明治６）年のウィーン万博[*7]ということになりました。

万博前夜の日本

もとより、日本で初めて開催された博覧会は、１８７１年の京都博覧会[*8]でした。その最初の会場は西本願寺で、10月10日～11月11日の期間で行われました。

その後、京都博覧会は西本願寺・建仁寺・知恩院・京都市勧業館などを会場として、１９２８年までの間に合計56回開催されました。寺院を会場として行われたことからわかるとおり、仏教関係の品々を展示し、一般に公開するものでした。

こうした中で、日本でも万博を開催したいという

東京の上野で開かれた内国勧業博覧会の開場式のようす（錦絵）。

*６　薩摩藩は江戸幕府への対抗から、当時、薩摩藩が実効支配していた琉球国の名で万博に出展。この行いに対して徳川昭武一行（→P35）が抗議したことで、薩摩藩側は大君（江戸幕府の将軍）より下の立場の名称である「太守」を使った。

*７〈ウィーン万博の概要〉
正式名称：Weltaustellung 1873 in Wien
会期：１８７３年５月１日～11月１日
場所：プラーター公園
参加国：35
総入場者数：725万5000人

*８　１８６９年に都が東京に移されたことで人口が減少するなど、衰退の危機を迎えた京都の振興を図る政策のひとつとして開催。入場者総数１万人を超え、成功を収めた。

願いが生じていたのです。

20世紀になる頃には海外の博覧会への参加にともない日本でも、内国勧業博覧会[*9]など、多くの博覧会が開かれました。そうした中、日本での万国博覧会開催への気運は益々高まっていきました。1904年、日露戦争[*10]勃発。翌年に勝利すると、日本での万博開催が具体的に議論され、その結果、1907（明治40）年、政府は1912（明治45）年4月から10月までの予定で、東京での「日本大博覧会」の開催を計画したのです。この計画は「万国博覧会」の名称は使われていませんでしたが、実質的には日本の初の万博計画でした。しかし、その計画も、まもなく経費の増大などで5年間延期され、その後、中止となってしまいました。

渋沢栄一（しぶさわ　えいいち）

2024年に発行される新1万円札に描かれる人物でにわかに注目されている渋沢栄一（1840〜1931年）は、1867年のパリ万博に参加していた。将軍・慶喜は、渋沢を万博の訪仏団に世話役として派遣。その目的は、渋沢にヨーロッパの進んだ社会や近代技術を見せることだったといわれている。当時27歳だった渋沢は、ヨーロッパの進んだ科学技術と大きな富の力を知り、国の豊かさを支えるには経済が重要、日本が見習うのは、金融や会社などの制度だと考えるようになったという。1871年に著した「航西日記（こうせい）」では、万博の見聞録をまとめている。

＊9　産業を盛んにすることを目的に、明治政府によって開催された国内生産物の博覧会。第1回目は1877年に東京の上野公園で開かれ、計5回行われた。

＊10　1904年、朝鮮および満州（現在の中国東北地方）の支配権をめぐって起きた、日本とロシアの戦争。日本は勝利していたが、軍事費など国力の問題を抱えており、長期化する戦争を継続することは困難な状態にあった。ロシア側も国内での革命勃発から戦争終結を望み、アメリカ大統領セオドア・ルーズベルトの働きかけによって、1905年9月に講和条約（ポーツマス条約）を締結。終戦を迎えた。

4 幻となった日本国際博覧会

かつての東京での「日本大博覧会」計画（↓P37）の後、日本では万博の計画は持ち上がりませんでしたが、第二次世界大戦の前には……。

1930年代の日本と万博

1930年代の日本は、アメリカやヨーロッパ諸国と次第に離れていきます。そして1931（昭和6）年、満州事変[*1]を起こします。1931年というと、BIE条約（↓P32）が施行された年です。

1932（昭和7）年、日本が満州国を成立させると、日本の中国大陸での勢力拡大に反対する欧米諸国との対立が激しくなり、翌1933（昭和8）年には、ついに日本は国際連盟[*2]を脱退してしまいました。そして1937（昭和12）年の盧溝橋（ろこうきょう）事件[*3]をきっかけとして日中戦争[*4]に突入します。戦火は次第に南方へ飛び火・拡大していきました。

そうした中、万博については、民間から熱望され、計画が立てられていたのです。1934（昭和9）年には「日本万国博覧会協会」が万博の具体的準備を開始。「皇紀（紀元）二千六百年[*5]」の奉祝行事として、1940（昭和15）年に開催することが

＊1　日本軍による満州（現在の中国東北地方）侵略戦争。日本陸軍部隊である関東軍が、南満州鉄道の線路を爆破したこと（柳条湖事件）をきっかけに始まった。

＊2　アメリカ大統領ウッドロウ・ウィルソンが国際平和の維持を目的として提唱し、第一次世界大戦後の1920年に設立された世界初の国際機構。日本・ドイツ・イタリアの相次ぐ脱退などにより弱体化。1946年4月に解散。

＊3　北平（現在の北京）南西郊外にある盧溝橋付近で、夜間演習を行っていた日本軍のもとに数発の銃声があったことに加え、兵一名が行方不明になったことで起きた日本軍

決定。まだ日本軍の力があった頃でした。しかし、日中戦争が長期化。戦局を配慮しての万博中止論が高まり、同年7月15日、万博開催の「延期」が閣議決定されました。

1940年開催予定だった日本国際博覧会のポスター。
アドミュージアム東京所蔵

ワンポイント情報

日本の万博計画についての外務省の資料

「1938年3月、委任統治領などを含めた70か国に招請状が発出されるとともに、在外公館を通じた誘致の働きかけが行われ、欧州、北米、中南米、アジア大洋州の各方面に、招請のための使節団が派遣され」「ドイツ、イタリアなど当時の日本の友好国のほか、オーストラリア、ブラジルなど太平洋や中南米の国々が出品に前向きな姿勢を示し」「1938（昭和13）年1月より富籤（宝くじ）付き入場券の販売が開始されていた」

と中国軍の衝突事件。

＊4　1937年から1945年まで続いた日本と中国との全面戦争。1941年、中国からの軍の撤退などを要求したアメリカと日本の交渉決裂によって、アメリカ・イギリス・中国を含む連合国との戦争（太平洋戦争）に発展。1945年7月に日本に無条件降伏を求める対日共同宣言（ポツダム宣言）が発表され、同年8月、日本が受諾し、戦争が終結した。

＊5　初代神武天皇の即位年とされる西暦紀元前660年を元年として数えたものを「皇紀」という。1940年は、皇紀2600年という節目の年に当たることから、記念行事が数多く行われた。

BIE条約発効後の万博

BIE条約が発効して初めてとなる万博は、1933年にシカゴで開催されました（↓P44）。それに続いてブリュッセルでの1935（昭和10）年、パリでの1937（昭和12）年開催が決定されました。1939年のドイツのポーランド侵攻[*6]の前のことでした。さらに、1939年のニューヨークでの開催もBIE事務局に申請されていたのです。

BIE条約では、万国博覧会は直前の万博から2年を経過していないと開催できないことになっているため、日本が計画していた1940年の開催は困難だったのです。

1937年7月15日に延期が決定されたのですが、延期ではなく、中止となったわけです。当時の日本が国際社会のルールを無視していたことについて、ここでいうまでもありませんが、万博に関する国際条約、即ち、BIE条約も批准していなかったことを敢えて記します。蛇足でしょうが、BIE条約の問題ではなかったことは、自明の理。万博と同じく「皇紀二千六百年」奉祝行事として同年に予定されていた東京オリンピックも中止に追い込まれました。

18年の中断

BIE条約がつくられ、万博の発展が大いに期待されるようになった頃、第二次世界大戦[*7]が勃発します。世界の万博は、1939年と1940年の2回に分けて行われたアメリカ・ニューヨーク万博の後、18年間にわたっ

＊6　第一次世界大戦、ドイツの敗戦によって都市ダンツィヒが国際連盟保護下の自由都市になり、一部がポーランドの管理下に置かれた。また、西プロイセンとポーゼン北部地方（ポーランド回廊）がドイツ領からポーランド領に編入。この割譲を要求し、ドイツがポーランド領内に侵攻した。

＊7　1939年から1945年にかけて、アメリカ・イギリス・フランス・ソ連などの連合国と日本・イタリア・ドイツなどの枢軸国（連合国側と対立した諸国の名称）との間で起こった世界規模の戦争。1943年9月にイタリア、1945年5月にドイツが無条件降伏。ドイツ降伏と

て中断することになりました。

大規模な国際博覧会が再開されたのは、戦後13年目の１９５８年、ベルギーのブリュッセル万博（１９５８年4月17日～10月19日）だとされています。

この万博は、第二次世界大戦後初めて行われた大型国際博で、42か国と10の国際機関が参加。会期中４１４５万人が来場しました。テーマは「新たなヒューマニズムという世界観」が掲げられました（詳しくは、76ページ参照）。

幻の東京オリンピックポスター。

同年の7月、アメリカ・イギリス・中国3か国首脳が、日本に降伏を求める対日共同宣言（ポツダム宣言）を発表。8月には広島と長崎に対して人類史上初となる原爆投下が行われ、宣言の受諾によって終結した。

万博とオリンピック

近代オリンピックは、「近代オリンピックの父」と呼ばれるフランスのクーベルタン男爵[*1]によって始まりました。第1回はギリシャのアテネ、第2回はフランスのパリでしたが……。

第2回五輪

アテネ五輪に次ぐ第2回五輪は、1900年にパリで開催されました。クーベルタンにとって、出身地でもあるパリは、オリンピックの第1回大会とスポーツ博覧会の開催地として考えていた場所。その願いは叶ったのですが、大会は彼の理想とはかけ離れてしまいます。

大会期間は、1900年5月14日から10月28日まで5か月以上！　今の五輪大会と比べると、とても長い期間にわたって行われました。その理由は、この五輪は、同年開催のパリ万博（4月15日〜11月12日）の附属大会として行われていたからです。

これについて、「クーベルタン男爵の故国のことでもあり、はじめ理想案を以て計画されたが、いざ実施となると、資金難のために当初の企てとは相違して、同じ年に開かれる万国博覧会とタイアップすることになった。ところが主客転倒して、競技は博覧会の余興のようなものになってしまった」（『オリンピックと日本スポーツ史／日本体育協会編』より）と考えられています。

今でこそ五輪は万博よりもよく知られる巨大イベントになっていますが、当時は、国際博覧会ブーム。パリ万博は半年の会期に4700万人の客を集めたといわれています。それが、本書の「はじめに」に記したように、『そもそも万博って何をする場所？テーマパークみたいなもの？』といわれたり、IOC（アイオーシー）は誰でも知っていても、BIE（ビーアイイー）（→P54）がほとんど知られていなかったりするのは、どうしてなのでしょうか。

尚、その後も、第3回セントルイス大会（アメリカ）は、万博の附属大会として博覧会と一緒に開催されました。しかし第4回ロンドン大会では、パリ、セントルイスと続いた万国博覧会附属の大会から脱却。第5回ストックホルム大会（スウェーデン）からは、万博から離れ、独自の路線を歩むこととなりました。

＊1　ピエール・ド・クーベルタン男爵（1863～1937年）は、フランスの教育者。スポーツが心身の発達にとても重要だという信念をもっていて、この考え方は、当時としては珍しかったという。「オリンピックで重要なことは勝つことではなく参加することである」は、クーベルタン男爵の言葉として知られているが、もともとエチェルバート・タルボットという主教が1908年のロンドン大会のときにアメリカとイギリスの選手たちに対して言った言葉。その後、クーベルタン男爵がこれを引用したうえで「人生において重要なことは、成功することでなく努力することである。根本的なことは、征服したかどうかにあるのではなく、よく戦ったかどうかにある」と話したことから、男爵の言葉として広まったといわれている。

1900年パリ万博の附属大会として開かれたオリンピックのポスター。

5 万博とテーマ

ＢＩＥ条約の採択後、万博はＢＩＥ条約の基準に則ったものとなり、１９３３年からは「テーマ」が掲げられました。

初めての「テーマ万博」

万博に今のような「テーマ」が掲げられたのは、１９３３年のシカゴ万博[*1]が初めてでした。１９２８年11月22日にＢＩＥ条約が採択され、１９３１年1月17日に発効。その後の5月27日に始まるシカゴ万博では、ＢＩＥ事務局は、地元シカゴと協議の上、出展者・参加者に共通するテーマ「進歩の世紀」を提示しました。

それ以降、２０２５年の大阪・関西万博の「いのち輝く未来社会のデザイン」に至るまで、毎回テーマが掲げられてきました。

一般にテーマとは、辞書には「催しや創作などの基調として、その全体を通して表わそうとした考え、思想、観念。主題」などと記されています。

当時の万博はどれも、各国の政府をはじめ、出展者が自らの製品やサービスをアピールする場となっていました。しかし、それぞれ自由に任意のものをＰＲしていくよう

＊1 〈シカゴ万博の概要〉
正式名称：A century of progress, International Exposition, 1933-34
会期：１９３３年5月27日～11月12日
１９３４年6月1日～10月31日
場所：ジャクソン・パーク
テーマ：進歩の世紀
参加国：21
総入場者数：３８８７万２０００人

では、長い時間をかけて締結に至ったＢＩＥ条約の基本方針から外れてしまうと、テーマが設けられるようになったと考えられます。テーマに沿って出展者がアピールする。参加者も、テーマから自分たちの求める製品やサービスを見つけることができる。テーマに適応した思想・観念が多くの人たちに共有されることで、その万博の成功につながるというわけです。

シカゴ万博のポスター

テーマ「進歩の世紀」は1833年から1933年の１世紀のこと。ポスターに数字を入れてあらわしている。

主な万博の開催地とテーマ、期間

※基本的にBIEホームページ参照

開催地（国）	「テーマ」	期間
シカゴ（アメリカ）	「進歩の世紀」	1933年5月27日〜11月12日 1934年6月1日〜10月31日
ブリュッセル（ベルギー）	「民族を通じての平和」	1935年4月27日〜11月3日
パリ（フランス）	「現代生活の中の芸術と技術」	1937年5月25日〜11月25日
ニューヨーク（アメリカ）	「明日の世界と建設」	1939年4月30日〜10月31日 1940年5月11日〜10月27日
第二次世界大戦		
ブリュッセル（ベルギー）	「新たなヒューマニズムという世界観」	1958年4月17日〜10月19日
シアトル（アメリカ）	「宇宙時代の人類」	1962年4月21日〜10月21日
ニューヨーク（アメリカ）	「理解を通じての平和」（BIE非公認）	1964年4月22日〜10月18日 1965年4月21日〜10月17日
モントリオール（カナダ）	「人間とその世界」	1967年4月28日〜10月29日
大阪（日本）	「人類の進歩と調和」	1970年3月15日〜9月13日
スポーケン（アメリカ）	「未来の環境のため」	1974年5月4日〜11月2日
沖縄（日本）	「海―その望ましい未来」	1975年7月20日〜1月18日
ノックスビル（アメリカ）	「エネルギーは世界の原動力」	1982年5月1日〜10月31日
ニューオリンズ（アメリカ）	「河川の世界 水は生命の源」	1984年5月12日〜11月11日

開催地	テーマ	会期
筑波（日本）	「人間・居住・環境と科学技術」	1985年3月17日～9月16日
バンクーバー（カナダ）	「交通とコミュニケーション：動く世界、触れ合う世界」	1986年5月2日～10月13日
ブリスベン（オーストラリア）	「技術時代のレジャー」	1988年4月30日～10月30日
大阪（日本）（国際園芸博）	「自然と人間との共生」	1990年4月1日～9月30日
セビリア（スペイン）	「発見の時代」	1992年4月20日～10月12日
ジェノバ（イタリア）	「クリストファー・コロンブス―船と海」	1992年5月15日～8月15日
テジョン（韓国）	「発展のための新しい道への挑戦」	1993年8月7日～11月7日
リスボン（ポルトガル）	「海、未来への遺産」	1998年5月22日～9月30日
ハノーバー（ドイツ）	「人類・自然・技術」	2000年6月1日～10月31日
愛知（日本）	「自然の叡智」	2005年3月25日～9月25日
サラゴサ（スペイン）	「水と持続可能な開発」	2008年6月14日～9月14日
上海（中国）	「より良い都市、より良い生活」	2010年5月1日～10月31日
麗水（韓国）	「生きている海と沿岸」	2012年5月12日～8月12日
ミラノ（イタリア）	「地球に食料を、生命にエネルギーを」	2015年5月1日～10月31日
アスタナ（カザフスタン）	「未来のエネルギー」	2017年6月10日～9月10日
ドバイ（アラブ首長国連邦）	「心をつなぎ、未来を創る」	2021年10月1日～2022年3月31日
大阪・関西（日本）	「いのち輝く未来社会のデザイン」	2025年4月13日～10月13日予定

第2章 万博を理解する

1 そもそも「万博」とは？

「万博」は「万国博覧会」の略称ですが、正式には「国際博覧会」といいます。「ＥＸＰＯ」と記され、「エキスポ（エクスポ）」とも呼ばれています。

「EXPO'70」

１９７０年に日本で初めて大阪で開かれた「万博」の正式名称は、「日本万国博覧会」。英語では、Japan World Exposition Osaka 1970 でした。その略称が「ＥＸＰＯ'70」です。

ところが一般的に「万博」を表す英語は、Universal Exposition とされ、World は使われていません。[*1]

「ＥＸＰＯ'70」の次に日本で開催された１９７５年の「沖縄海洋博」は、International Ocean Expositionとされ、参加国数は、36か国でした。海の博覧会ですから、海のない内陸国は参加していませんでしたので、World Exposition といえるほどではありませんでした。

「万博」を意味する英語に、World が使われていない理由は、実はＢＩＥ条約の条文（↓P57）に見つけることができます。ＢＩＥ条約には、「万博」は「2か国以上が

＊1　「ユニバーサル」には「一般的」「普遍」（＝すべてで通用する）という意味と、「宇宙的」「世界的（全世界にわたる）」という2つの意味がある。一方「ワールド」は「世界」を意味する。

参加した国際博覧会」であるとされているのです。つまり、World でなくてもかまわない訳です。

2005年に出された『EXPO'70　驚愕！　大阪万国博覧会のすべて』（中和田ミナミ著／ダイヤモンド社）というタイトルの大型本。

ワンポイント情報

「EXPO2010上海（シャンハイ）」

2010年開催の上海万博の正式名称は、「中国2010年上海世界博覧会」。略称は、中国語で「上海世博会」または「上海世博」。英語略称で記したのが「Expo 2010 Shanghai China」である。この万博には、世界193か国が参加申請し、うち190か国が出展。文字どおり World Exposition となった。まさに中国語の「万国来朝」だ。そのため、上海万博の当時、中国国内では、万国来朝がよく使われていた。だが、この言葉には、多くの外国・属国などの使者が朝廷へ来て礼物（れいもつ）を献上するという意味があることは忘れるべきではないだろう。

「万博」を表す外国語

日本が初めて出展参加したパリの国際博覧会（１８６７年↓P35）は、フランス語でExposition Universelle de Paris 1867.英語のuniversalに当たるフランス語のuniverselleが使われていたのです。

では、ここでは、万博がいろいろな国でどう呼ばれているか見てみましょう。

L'EXPOSITION UNIVERSELLE
DE 1867

「L'EXPOSITION UNIVERSELLE」というタイトルをつけて、1867年パリ万博の様子をイラストで紹介するフランスの新聞記事。

	外国語で万博を何と呼ぶか
英語	The Great Exhibition of the Works of Industry of All Nations（1851年ロンドン万博）
	New York World's Fair 1939-1940 （1939・40年ニューヨーク万博）
	Universal and International Exhibition Montreal Expo'67 （1967年モントリオール万博）
フランス語	Exposition Universelle de Paris 1867 （1867年パリ万博）
スペイン語	Exposición Universal de Sevilla 1992 （1992年セビリア万博）
ポルトガル語	Exposição Internacional de Lisboa de 1998 （1998年リスボン万博）
ドイツ語	Expo 2000 Hannover　Die Weltausstellung in Deutscheland （2000年ハノーバー万博） 注：正式には“Expo 2000 Hannover”だが、“Die ～”を後ろに付けた公式のロゴマークがある。Weltausstellung＝世界展
中国語	**中国2010年上海世博会**（2010年上海万博） 注：世博／Shibó＝万博
韓国	2012 년 여수 세계 박람회（2012年麗水万博） 注：여수（麗水）세계（世界）박람회（博覧会）
イタリア語	Exposizione Universale Milano 2015, Italia （2015年ミラノ万博）
アラビア語	إكسبو 2020 دبي（＝2020年ドバイ国際博覧会）（2020年ドバイ万博） 注：إكسبو＝博覧会／دبي＝ドバイ

2 万博を理解するにはBIE条約から

現代の万博を理解するには、BIE（ビーアイイー）について知っておく必要があります。最初の文字Bは、フランス語のBureau（ビューロー）です。

BIE条約ができた頃

　ここまでBIE条約は、何度も出てきましたが、ここで改めて確認しておきます。

その正式名は「国際博覧会条約」。BIEとは、フランス語の Bureau International des Expositions の頭文字（「ビューロー」は政府機関の局・庁のこと）です。

BIE条約が締結されたのを機に「博覧会国際事務局」という国際機関が設立され、万博がBIE条約に基づいて開催されるよう監督する役目を担っています。

実は現在、日本人が一般的に使っている「万博」という言葉は、BIEがBIE条約に則って登録・認定したイベントだけを指す言葉です。逆にいえば、BIEが登録・認定したイベントでないものは、正式な万博とはされないということになります。（BIE非公認の博覧会でも、例外的に国際博覧会と呼ばれたものもある。1964・1965年のニューヨーク万博→P86）。

オリンピックの場合、ＩＯＣ（アイオーシー）＊1という組織があって、非常に重要な役割を果たしていることはよく知られていますが、ＢＩＥについては一般によく知られていません。

ＢＩＥ条約ができる前

世界で最初の万博は、１８５１年に開かれ、34か国が参加した「第１回ロンドン万国博覧会」（→Ｐ30）とされ、その後、同様な万博が、フランス、イギリス、アメリカ、オーストリア、オーストラリア、スペイン、ベルギーなどの都市で開催されました。

しかし、それらはすべてＢＩＥ条約ができる前のもの。ということは、現代の万博とは異なるもの！　当時の万博はというと、どの国も開催理由として主に産業振興や貿易促進などを挙げていました。その基本は、国力を誇示する場となっていたに違いありません。

ところが、そうした万博があちこちで開かれるようになると、主催国や参加者の負担が重くなったり、予算が跳ね上がったりしていきました。一方、特定地域や企業や個人の利益のための開催が見られるようになり、そうした万博に対して国際的に見直そうとする動きが出てきたのです。実際、開催数を制限する傾向が生じていました。

＊1　国際オリンピック委員会。1894年6月に設立された、夏季・冬季オリンピックを開催する国際機関。本部はスイスのローザンヌにあり、各国を代表する委員が運営を行っている。

１９１２年のベルリン会議

そうした中、１９１２年、ヨーロッパ諸国の代表者がドイツのベルリンに集まって、その後の万博について話し合う国際会議を開きました。その結果、国際博覧会に関する条約（ＢＩＥ条約）が採択され、ヨーロッパ諸国に日本を加えた15か国が署名するに至りました。しかし、１９１４年に第一次世界大戦[＊2]が勃発。その条約は発効には至りませんでした。

第一次世界大戦が終結すると、１９２８年になって、パリで国際会議が開かれ、万博開催のルールについて議論が行われました。同年11月22日、国際博覧会に関する条約（ＢＩＥ条約）が採択され、日本を含む31か国がこの条約に署名しました（日本は批准せず非加盟国となる）。そして１９３１年1月17日に発効しました。

この点については前章でも何度も記してきたので、ここでは、組織としてのＢＩＥを確認しておきます。ＢＩＥの本部は、フランス・パリに置かれました。２０２３年時点、ＢＩＥの加盟国は１７９か国に達しています。日本は１９６５（昭和40）年に加盟しました。

BIEのホームページ。http://www.bie-paris.org/site/en

＊2　１９１４年から１９１８年まで続いた人類初の世界規模の戦争。ドイツ・オーストリア・イタリアなどの同盟国側とフランス・イギリス・ロシアなどの連合国側にわかれて戦った。１９１７年、アメリカが連合国側に参戦。同盟国側の降伏が続き、翌年11月にドイツが休戦協定に調印したことで終結した。

BIE条約の第一章の条文（第一条と第二条の引用）

第一条　定義

1、博覧会とは、名称のいかんを問わず、公衆の教育を主たる目的とする催しであって、文明の必要とするものに応ずるために人類が利用することのできる手段又は人類の活動の一若しくは二以上の部門において達成された進歩若しくはそれらの部門における将来の展望を示すものをいう。

2、博覧会は、二以上の国が参加するものを、国際博覧会とする。

3、国際博覧会の参加者とは、当該国際博覧会に公式に参加している国の陳列区域にあるその国の展示者、国際機関、当該国際博覧会に公式には参加していない国の展示者及び当該国際博覧会の規則により展示以外の活動特に場内営業を行うことを認められた者をいう。

第二条　条約の適用範囲

1、この条約は、次のものを除くほか、すべての国際博覧会について適用する。

ⓐ開催期間が三週間未満である国際博覧会

ⓑ国際美術展覧会

ⓒ主として商業的な性格を有する国際博覧会

2、この条約の適用上、国際博覧会は、開催者の付する名称の如何を問わず、登録博覧会と認定博覧会に区分する。

3　万博の目的と役割

なぜ各国は万博を開催するのでしょうか。かつては欧米諸国を中心に、国力を誇示するために行っていた時代もありましたが、現代の万博は？

公衆の教育と将来の展望

繰り返しになりますが、万博は、1928（昭和3）年にパリで採択されたBIE条約に基づきBIEが正式に登録・認定した巨大イベントです。BIE条約の第一条定義には、「博覧会とは、名称のいかんを問わず、公衆の教育を主たる目的とする催し」であると明記。そして「将来の展望を示す」ことも記されています（↓P57）。

つまり世界中から多くの人やモノが集まる万博は、地球規模の様々な問題に取り組むために、公衆に知識や技術などを教育する場だとされているのです。そして、その教育により、地球の将来の展望を見出すことだといっている訳です。実際これまでの万博は、新しい技術や製品、モノやサービスが展示され、人々の生活がより便利になるきっかけとなってきました。例えば、エレベーター[*1]や蓄音機[*2]、電話[*3]など、枚挙に暇がありません。

＊1　人力でないものは1851年の第1回ロンドン万博で登場。1852年に、アメリカの発明家エリシャ・グレーブス・オーティスが発明するまで、エレベーターには落下防止装置がなく、主に荷物を運ぶために使われていた。1853年にはニューヨーク万博で、落下防止装置がついたオーティス社製のエレベーターが登場した。

＊2　1878年の第3回パリ万博で、発明家として知られるトーマス・エジソンが蓄音機を出品。ヨーロッパの人たちを驚かせた。1889年のパリ万博ではブースに展示され、人々は蓄音機を聞くために3時間も並んだという。

BIEロゴマークはMade by Japan

1968年、1970年の大阪万博（→P166）の準備をしていた日本ですべての万博のシンボルマークをつくってはどうかという案が浮上し、BIEに正式提案！　さっそく「万国博の理念である人間の友愛と進歩を象徴するにふさわしいデザイン」というテーマで公募が行われ、世界17か国から応募があり、結果、日本の大学生松島正矩（まさのり）さんのデザインが選ばれ、同年のBIE総会で採択された。そして、このロゴマークが初めて使われた万博が、1970年の大阪万博だった。

このロゴマークの円形は、「平和」「友愛」「人類の交歓」を、矢印を模した横線は「限りない進歩を目指す未来への階段」「向上」を、また、青色は「空」「海」「世界」「宇宙」、白色は「神聖」「平和」「正義」をそれぞれ表しているという。

BIEのロゴマーク。世界公募され、栄冠を手にしたのは日本の大学生。

エレベーターの動力として、19世紀初頭には水圧を利用していたが、1853年のニューヨーク万博では蒸気が、1893年のシカゴ万博では電力が使われた。写真はシカゴ万博の会場に設置されたオーティス社製の電動エレベーター。

＊3　1876年フィラデルフィア万博の展示物に電話が登場。アメリカの発明家アレクサンダー・グラハム・ベルの発明によるものが初披露された。

モネの「ラ・ジャポネーズ」（1876年）。ジャポニズムの影響を受けた作品として知られる。

セザンヌの「サント=ヴィクトワール山とシャトー・ノワール」（1904〜06年頃）。山を奥に、木を手前に描く構図などが、北斎や広重の影響を受けているといわれる。

現代の万博は、その時代その時代の新しい技術や製品、モノやサービスばかりでなく、美術品や工芸品、建築物など、あらゆる芸術が世界中から集まり、そして、世界に向かって発信する場にもなっています。

万博の果たす役割

19世紀後半にはヨーロッパで日本趣味（ジャポニズム[＊4]）が流行。ゴッホ[＊5]など印象派の画家たち[＊6]が浮世絵に影響を受けたのは、万博がきっかけだった（万博がなければ、ジャポニズムは起きなかった）という歴史があります。

実は、万博はこうした新たな役割を担うようになってきたことから、現在まで続いてきたのです。

＊4　ヨーロッパで生じた日本美術に対する関心。幕末に日本が開国して以降、陶磁器や浮世絵などの日本美術が世界に広まり、ヨーロッパの作品に影響を与えた。

＊5　オランダの画家（1853〜1890年）。多くの傑作を残したが、生前はほとんど評価されることがなかった。代表作に「ひまわり」や「星月夜」などがある。

＊6　風景や人物を見て受けた印象をそのままに描こうとした画家たちを印象派、印象派の後に現れ、独自に画風を発展させた画家たちを後期印象派という。印象派クロード・モネ（1840〜1926年）の「ラ・ジャポネーズ」、後

ゴッホ『花魁』（1887年）に見られるようにゴッホのいくつかの作品には、浮世絵の影響が見られる。

期印象派ポール・セザンヌ（1839～1906年）の「サント=ヴィクトワール山とシャトー・ノワール」など、印象派や後期印象派の画家たちの作品には、ジャポニスムの影響が見られる。

4 2種類の博覧会とは

現代の万博は、「登録博覧会」と「認定博覧会」の2種類ですが、BIE条約ができたときは、「一般博覧会」と「特別博覧会」とされていました。

博覧会の性格　万博は、BIEの承認の下、BIE条約に基づき、数年ごとに開催国を変えて開かれる巨大イベント。開催期間が最大6か月と長期にわたる「登録博覧会（登録博）」と、最大3か月までの「認定博覧会（認定博）」の2種類があります。

近年の「登録博覧会」には、2005（平成17）年に日本で開催された愛・地球博（↓P184）、2010（平成22）年に中国で開催された上海万博（↓P118）、2015（平成27）年にイタリアで開催されたミラノ万博（↓P122）、2025（令和7）年の大阪・関西万博（↓P224）などがあります。

2つの登録博覧会の間に1回のみ開催されるとされている「認定博覧会」としては、近年では、2008（平成20）年スペイン開催のサラゴサ万博（↓P116）や2012（平成24）年韓国開催の麗水（ヨス）万博（↓P120）、2017（平成29）年にカザフスタンで開催されたアスタナ万博（→P124）などがあります。

・**登録博覧会**　開催期間6週間以上6か月以内、2つの登録博覧会には少なくとも5年以上の間隔を置く。

・**認定博覧会**　開催期間3週間以上3か月以内、会場規模は25ヘクタール以内。1つの参加国に割り当てられている面積は千平方メートル以内。認定博覧会は2つの登録博覧会の間に1回だけ開催できる。

一般博覧会と特別博覧会

万博は、1988年のBIE条約改正以前には「一般博覧会（一般博）」と「特別博覧会（特別博）」に分類されていた。その違いは左記のとおり。

・一般博覧会：テーマの範囲を人類活動の、2つ以上の部門とし、参加国に自国のパビリオンの建設を求める博覧会。1970（昭和45）年の大阪万博などがこれに当たる。

・特別博覧会：特定の部門にテーマを絞り、開催者が展示館を建設して参加国に貸与する博覧会。1975（昭和50）年の沖縄海洋博、1985（昭和60）年のつくば万博、1990（平成2）年の花の万博などがこれに当たる。ただし、2005（平成17）年の愛知万博は、1982年改正条約に基づいて特別博として登録されているが、1988年改正条約の登録博に該当するとされている。

5 万博の褒賞制度

万博では優れた展示に対し表彰するという褒賞制度がありますが、「○○○が金賞を受賞した」などと話題になりながらもあまり知られていません。

金賞、銀賞、銅賞など

BIEの褒賞は、当初からグランプリ（大金賞）、金賞、銀賞、銅賞、選外佳作の5種類とされていますが、優れたパビリオンを表彰する部門とか、各万博のテーマによってそれぞれ異なっていますが、美術品や工芸品、また発明などあらゆる展示品を表彰するためにいろいろな部門がつくられています。

明治時代になり、近代化を進める日本は万博に参加して、日本の美術工芸品を積極的に海外に紹介しました。下は、香蘭社（こうらんしゃ）[*1]という有田焼を制作する、佐賀県有田町に明治時代から続く会

明治政府の紹介でパリ万国博覧会に出品した頃の香蘭社デザインを再現した間取菊唐草松竹梅の碗皿。

＊1　元禄時代、初代深川栄左衛門によって肥前国（現在の佐賀県）有田で磁器の製造が始められたが、その後の明治維新の影響を受けて、有田焼は佐賀鍋島藩の保護と支援を失い、衰退した。1879年、第八代深川栄左衛門が、有田焼の再興を図ろうと香蘭合名会社を設立。これが現在の香蘭社である。

社の作品です。同社のホームページには、アメリカ建国100周年を記念して開かれた1876（明治9）年のフィラデルフィア万博[*2]に参加し、1878（明治11）年のパリ万博[*3]では金賞を受賞したことが表彰状とともに説明されています。

尚、外務省の資料によると、そのパリ万博には、エジソンの蓄音機（→P58脚注2）のほか、自動車、冷蔵庫等が出展されていました。それを考えると、当時の有田焼の輝きを増してきます。

1878年パリ万国博覧会金賞を受賞したときの表彰状。当時のフランスでは、画家のルノアールやモネ、文学ではモーパッサン、ゾラ、ニーチェなどが活躍していた。

ワンポイント情報

井深 大（いぶか　まさる）

町工場から始まった会社を世界的な大企業に成長させたソニーの創業者の一人である井深大（1908～1997年）は、早稲田大学の学生時代にネオンの光を端から走らせることができる「走るネオン」を発明。それを「現代生活のなかの美術と技術」をテーマにした1937年のパリ万博に出品し、「優秀発明賞」を受賞した。

＊2〈フィラデルフィア万博の概要〉
正式名称：Centennial Exhibition of Arts, Manufactures and Products of the soil and Mine
会期：1876年5月10日～11月10日
場所：フェアモントパーク
テーマ：まだ無し
参加国：35
総入場者数：1000万人

＊3〈第3回パリ万博の概要〉
正式名称：Exposition Universelle de 1878, Paris
会期：1878年5月20日～11月10日
場所：シャン・ド・マルス、トロカデロ
テーマ：まだ無し
参加国：36
総入場者数：1615万6626人

6 万博の開催地の決め方

万博の開催地は、BIE加盟国の無記名投票で決まります。投票総数の3分の2以上を獲得した候補地が開催地となりますが、どの国も3分の2を得られなかったら……。

近年の万博は、立候補する都市が多く現れるのが普通です。そのため1回の投票で投票総数の3分の2以上を獲得することは、ほとんどありません。

万博開催希望は多数

1回目の投票で最も投票数の少ない候補地が落選となり、残りの候補地で再び投票を行います。2回目の投票以降も同じようにしていきます。そして最後に2候補となった場合には、過半数を獲得したほうが開催地となります。

2025（令和7）年の万博の開催地は、2018（平成30）年11月23日にパリで開かれたBIE総会で決定。立候補していたのは、日本・大阪とアゼルバイジャン・バクーとロシア・エカテリンブルグ。1回目の投票で日本は85票を集め、最多得票でしたが、決定の条件となる3分の2以上を得られず、2番目のロシアとの決選投票と

＊1　ロシアの政治家で現大統領。2000年から2008年まで大統領、2008年から2012年まで首相を務め、2012年3月に大統領選挙で勝利し、再任。2024年、任期満了を迎える予定である。

なり、過半数の92票を獲得し、61票のロシアを上回って開催が決定しました。

2025年の開催都市争いでは、日本以外の2か国はともに「万博初開催」を前面に打ち出しました。さらにロシアは、プーチン大統領[*1]が先頭に立って2014（平成26）年冬季オリンピックや2018年サッカーワールドカップなど、国際イベントの実績を強調。一方のアゼルバイジャンはイスラム教国で、宗教、文化面で関係の深い中東諸国などを中心に支持を広げました。でも、軍配は大阪に上がったのです。

2030年は!?

次いで2030年の万博（登録博→P63）は、2021（令和3）年時点では、韓国・釜山（プサン）、ロシア・モスクワ、イタリア・ローマ、ウクライナ・オデーサ、サウジアラビア・リヤドの5つの都市が立候補。今後、各候補地はBIE総会で3～4回のプレゼンテーションを通じて誘致を競い合い、2023（令和5）年11月に、加盟国による投票で開催国が決まることとなっています。

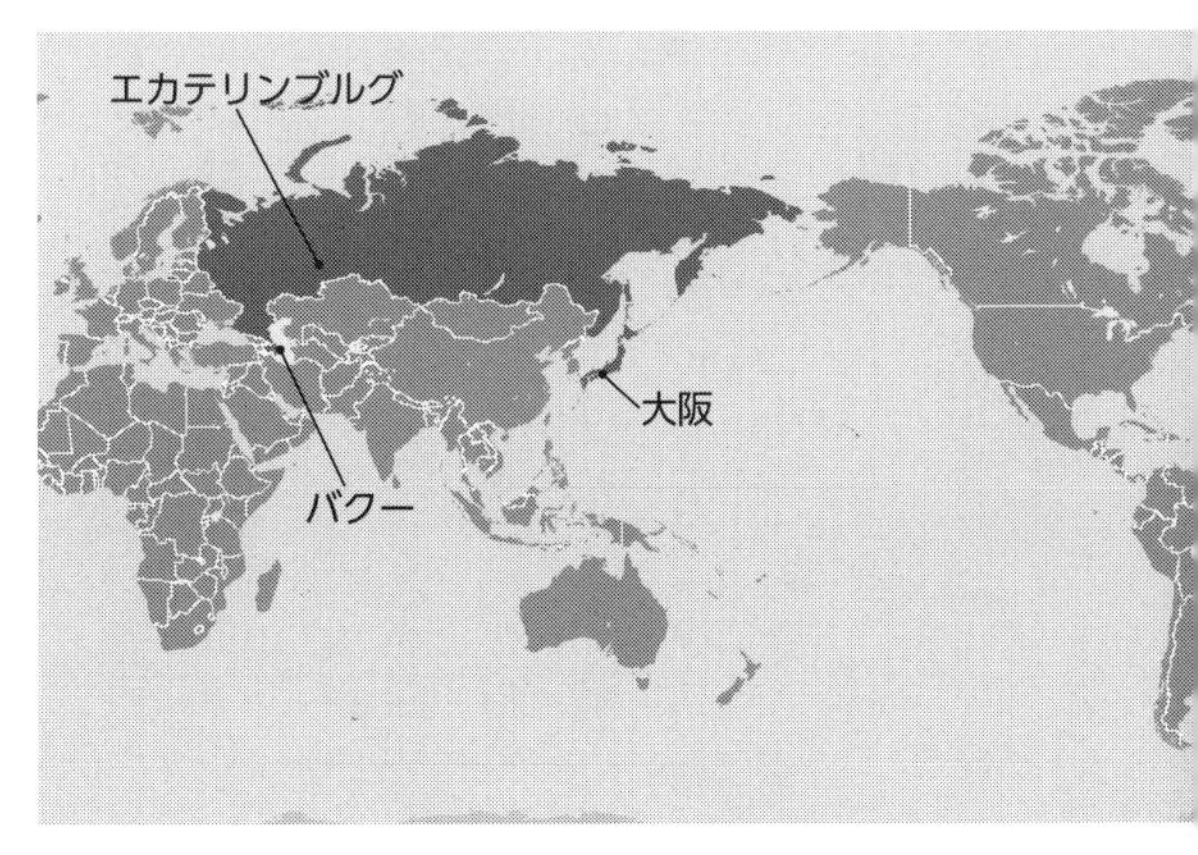

2025年万博開催地の投票結果

	1回目	2回目
日本（大阪）	85	92
ロシア（エカテリンブルグ）	48	61
アゼルバイジャン（バクー）	23	—

2030年の開催地にロシアとウクライナが立候補!?

2021（令和3）年5月1日、ロシアが2030年の万博（登録博→P63）の開催候補地に正式に立候補したと発表。ところが2022（令和4）年5月23日、立候補を取り下げました。

立候補した一番手は？

ロシアの産業商務省によると、計画の概要は次のとおりです。

- **開催都市：モスクワ市**
- **開催期間：2030年4月27日〜10月27日**
- **テーマ：「人類の進歩 — 調和する世界への普遍的ビジョン」**

2030年の万博に正式に立候補した最初の国は、ロシアでした。2025（令和7）年の招致に失敗したプーチン大統領が、沽券をかけて立候補したと見られています。

実は、立候補を希望する国は、最初の国が立候補してから6か月以内に意思表示しなければならないという決まりがあります。そのため、2030年の万博の場合、立候補締め切りは2021年10月29日までにBIEに申請する必要がありました。

BIEでは、立候補国が出そろった後に審査を開始し、最終決定はBIE総会での投票となります（→P67）。投票は、2023年11月に実施され、モスクワへの招致が実現すれば、ロシア史上初の万博開催となります。

ところが、ロシア政府は2022年5月23日、立候補を取り下げたと発表。ロシアのミハイル・ミシュスチン首相がBIEに対し、「国際展示事業がロシア批判を推進する国によって政争の具にされた」として、遺憾の意を書面で伝えてきたのです。時は、ロシアのウクライナ侵攻が拡大の最中。

日本ではあまり知られていませんが、ロシアが立候補を取り下げた後、ロシアによる攻撃が続く中、ウクライナが、南部オデーサ州[*1]での万博開催を「復興万博」とすべく誘致に力を注いでいました。しかしウクライナの戦火は拡大の一途。2023年6月の総会で候補地から外れてしまいました。

＊1　人口は約240万人。万博誘致の検討を始めたのは2020年。地域の経済的な発展を目指して開催計画を立て、国内の組織委員会の発足を目前に、2022年2月、ロシアによる全面侵略が始まった。オデーサの黒海沿いにはいくつもの港湾が並ぶため、ロシア軍の攻撃を受けて、ウクライナ産の穀物の輸出が困難となったことも。

結局、2030年万博の候補地は、釜山（韓国）、ローマ（イタリア）、リヤド（サウジアラビア）の3都市が誘致活動を繰り広げています。

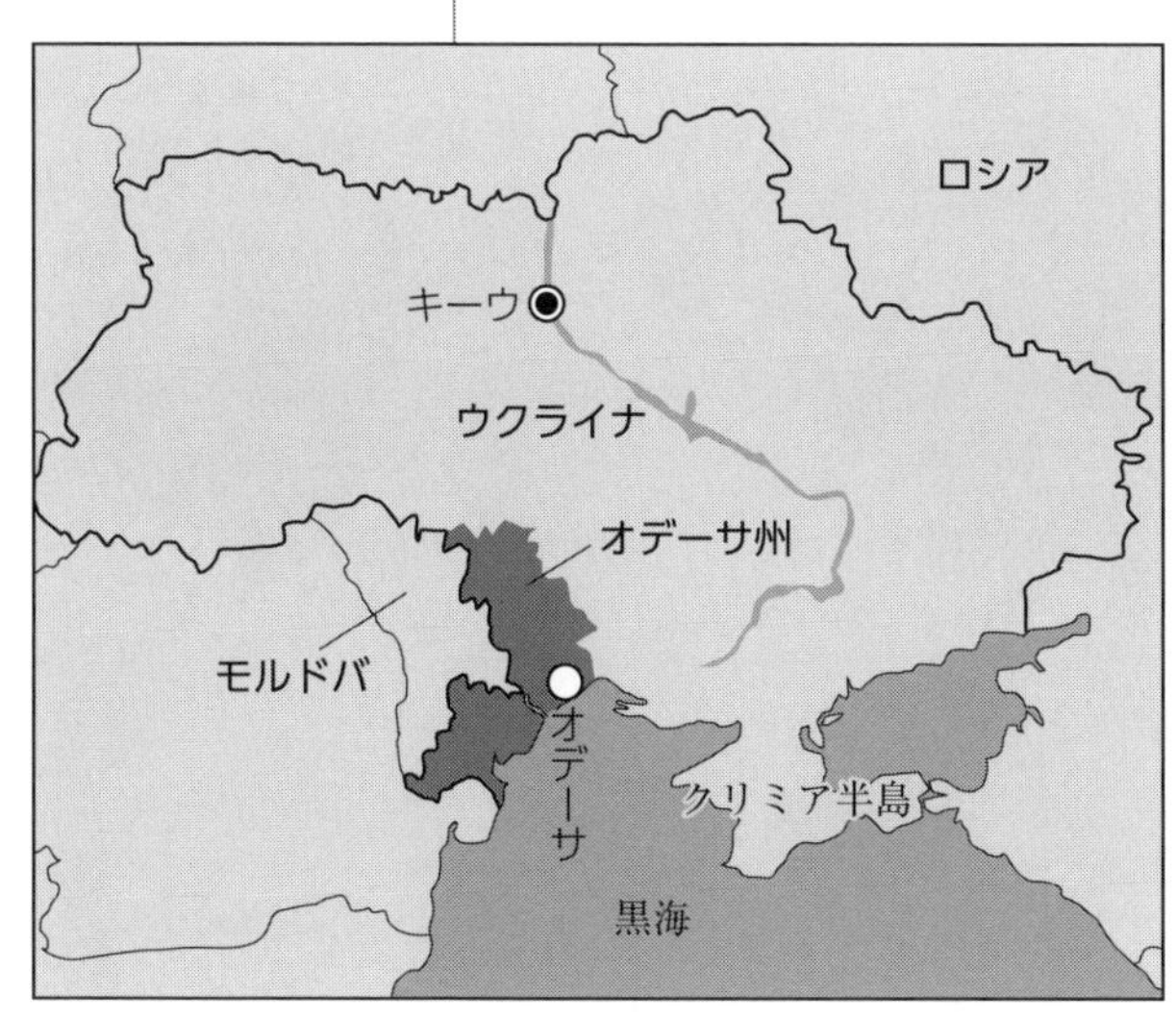

黒海沿いにあるウクライナの都市オデーサ。

万博テーマクイズ①

答え↓P72

ここではプロローグ・万博予習クイズに続き、クイズを楽しみながら第3章「地理と歴史で見る戦後の世界の万博」へ進む準備をしていただきます。

問い

A群①から⑩は戦後の万博の名称です。B群㋐から㋙が開催年と開催国名で、C群ⓐからⓙは、万博のテーマです。どの万博が、いつ・どの国で行われ、テーマは何か、3つを結びつけてください。

答えの例：①ブリュッセル万国博覧会 - - - ㋐1958年・ベルギー - - - ⓐ「新たなヒューマニズムという世界観」

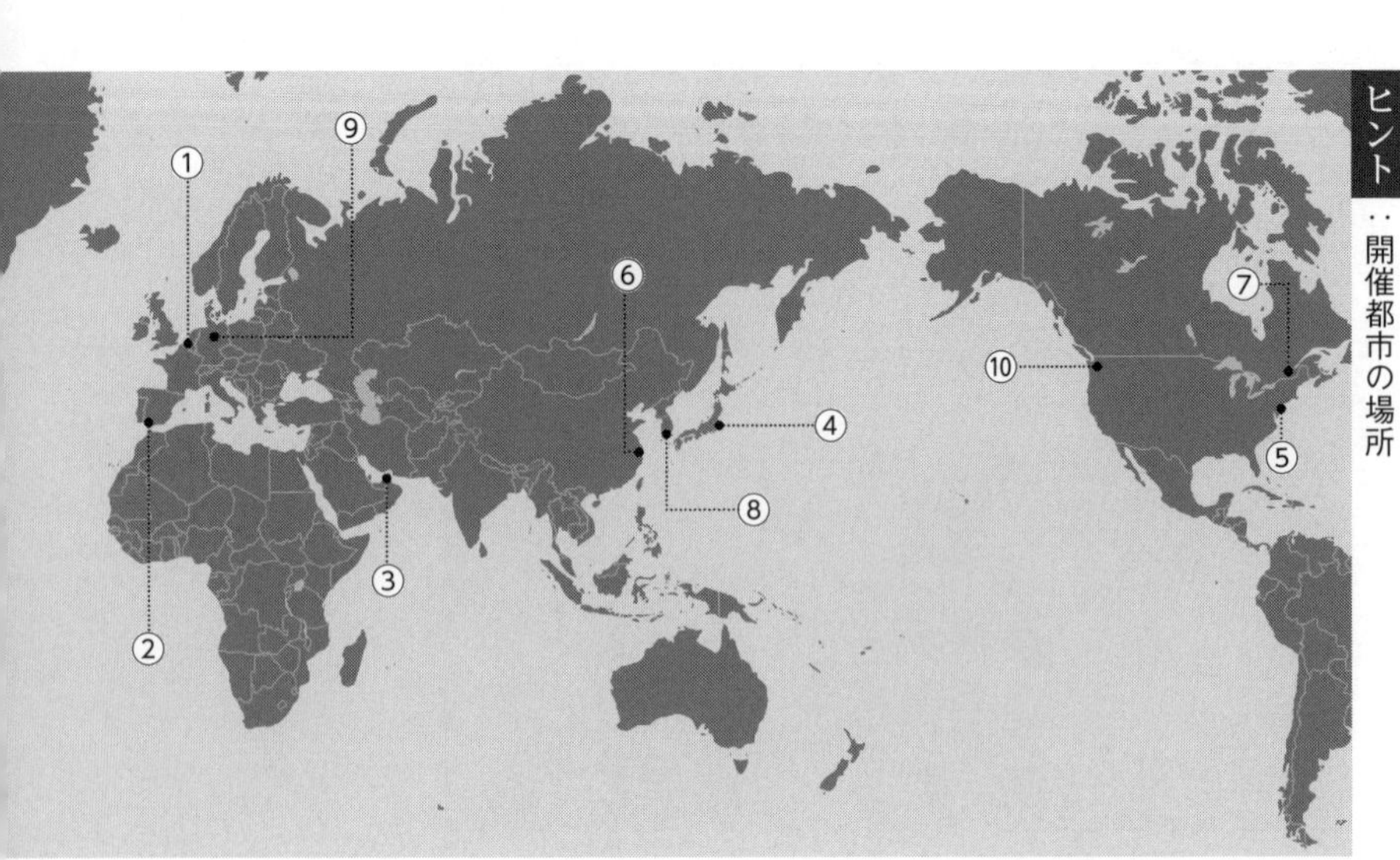

万博テーマクイズ ①

A群

①ブリュッセル万国博覧会
②セビリア万国博覧会
③ドバイ万国博覧会
④国際科学技術博覧会（科学万博）
⑤ニューヨーク世界博覧会
⑥上海国際博覧会
⑦モントリオール万国博覧会
⑧麗水国際博覧会
⑨ハノーバー万国博覧会
⑩シアトル21世紀大博覧会

B群

㋐１９５８年／ベルギー
㋑１９６２年／アメリカ
㋒１９６４年と１９６５年／アメリカ
㋓１９６７年／カナダ
㋔１９８５年／日本
㋕１９９２年／スペイン
㋖２０００年／ドイツ
㋗２０１０年／中国
㋘２０１２年／韓国
㋙２０２１年～２０２２年／アラブ首長国連邦

C群

ⓐ「新たなヒューマニズムという世界観」
ⓑ「人間とその世界」
ⓒ「より良い都市、より良い生活」
ⓓ「理解を通じての平和」
ⓔ「発見の時代」
ⓕ「生きている海と沿岸」
ⓖ「人間・居住・環境と科学技術」
ⓗ「人類・自然・技術」
ⓘ「宇宙時代の人類」
ⓙ「心をつなぎ、未来を創る」

万博テーマクイズ①・答え

A群	B群	C群
②	㋕	ⓔ
③	㋙	ⓙ
④	㋔	ⓖ
⑤	㋒	ⓓ
⑥	㋗	ⓒ
⑦	㋓	ⓑ
⑧	㋘	ⓕ
⑨	㋖	ⓗ
⑩	㋑	ⓘ

第3章

地理と歴史で見る戦後の世界の万博

1 万博の時代背景をさぐる

第二次世界大戦後初めて開催された大型万博は、1958年のブリュッセル万博でした。大戦中と合わせて18年の空白がありました。

大戦後の世界

1939年から1945年の第二次世界大戦は、死者が約6000万人に上るなど人類史上例のない惨禍をもたらしました。二度と戦争が起こらない世界の建設を目指して、国際連合[*1]が創設され、世界銀行[*2]やIMF[*3]、GATT[*4]など国際的な経済運営の仕組みが着々とつくられていきましたが、戦争による荒廃の中で、第二次世界大戦後初めての大型万博は1958年のブリュッセル万博（→P76）まで待つことになります。

しかし、人々の万博に対する関心が消し飛んでしまったわけではありませんでした。ブリュッセル万博に先立ち、様々な万博が行われていたのです（→左ページ表）。

万博の復活

これらの万博のテーマは、1つを除いて、スポーツ、農業、繊維、栽培などの特別博（→P63）として行われ、期間も短かく小規模なものでした。そんな中、ハイチ[*5]のポルトープランス万博だけは、BIE（→P54）が一般博（→

＊1　国際連盟（→P38）に代わって1945年に発足した国際平和機構。武力による制裁を容認するなど、国際連盟に比べ、組織としての実効力が強化された。本部はアメリカのニューヨークにあり、2022年時点の加盟国は、193か国におよぶ（日本は1956年に加盟）。

＊2　開発途上国が必要とする資金や技術援助などを行う国際機関。1944年に設立。貧しい国々の経済を強化して世界の貧困を削減し、経済成長と開発を促進することによって人々の生活水準を改善するのが目的。

＊3　International Monetary Fund（国際通貨基金）の略称。国連の専門機関の1つ

P63）と位置付けました。18の国が参加し、テーマは「平和の祭典」。しかし、会期1949年12月8日～1950年6月8日の6か月で来場者25万人という結果に終わりました。

そうした万博をなぜBIEが一般博にしたのでしょう？

それは、第二次世界大戦後間もない時に「我々の時代の普遍的な課題」をテーマに掲げたからだといわれています。ところが、実際に行われたのは、当時スラム街だった会場候補地を整備し衛生環境を改善し、十数軒のホテルを新築し、万博会場ではハイチの農産品や美術品の展示、カーニバル・ショーの実演でした。即ち、ハイチが目指したのは、首都ポルトープランス市創設200周年の機会に、世界の目をハイチに向けて観光業を振興することだったのです。そのため、この万博は、万博史に埋没してしまいます。

そうしたハイチは、今も昔も経済難に苦しむ国でありながら、万博には、1862年ロンドン万博以来、頻繁に出展してきています。

第2次大戦後の万博

1947年	パリ（フランス）
1949年	リヨン（フランス）、ストックホルム（スウェーデン）
1949～1950年	ポルトープランス（ハイチ）
1951年	リール（フランス）
1953年	ローマ（イタリア）、エルサレム（イスラエル）
1954年	ナポリ（イタリア）
1955年	トリノ（イタリア）、ヘルシングボリ（スウェーデン）
1956年	ベイトダガン（イスラエル）
1957年	ベルリン（ドイツ）

であり、為替相場の安定と国際収支の均衡を図るために、1944年に設立された。

＊4 General Agreement on Tariffs and Trade（関税及び貿易に関する一般協定）の略称。自由貿易の推進を目指して、1948年に締結された国際協定。1995年には、新しく設けられたWTO（世界貿易機関）に、GATTの役割が引き継がれた。

＊5 **〈ハイチという国〉**

国名：Republic of Haiti
面積：2万7750平方キロメートル（北海道の約1／3程度）
人口：1140万人
首都：ポルトープランス
政体：立憲共和制
経済規模（GNI）：140億米ドル（2020年　世銀）

2 戦後初めての大型万博

ブリュッセル万博には、42か国と10の国際機関が参加し、会期中4145万人が来場したと記録されています。当時の同国の人口は約900万人ですから、その人気ぶりがうかがえます。

画期的な万博

ブリュッセル万博はベルギーのブリュッセル郊外にあるエゼルで1958年4月17日に開幕、同年10月19日に閉幕しました。テーマは、「新たなヒューマニズムという世界観」。この万博は、万博史の中で大きな転換点となりました。ブリュッセル万博では、シンボルとして鉄の結晶構造をかたどったアトミウム（Atomium）[＊1]が建築されたり、ソ連がスプートニク[＊2]の展示をしましたが、これらの科学文明があくまで人間的・倫理的に使われるべきだと「ヒューマニズム」をも強調したという点で、それまでにない画期的な万博だったのです。

国際機関の招聘

さらにもうひとつ、この万博から始まったことがありました。参加者として国際機関が積極的に招聘されたのです。結果、国際連合を始め、ＥＣＳＣ（イーシーエスシー）[＊3]など国際機関が参加。その後、現在に至るまで様々な国連機関や

〈ベルギーという国〉
国名：Kingdom of Belgium
面積：3万528平方キロメートル（日本の約12分の1）
人口：1152万人（2021年1月、ベルギー統計局）
首都：ブリュッセル
政体：立憲君主制
経済規模（GDP）：5818億ドル（2021年、IMF）
言語：オランダ語（フラマン語）、フランス語、ドイツ語
略史：1830年独立宣言、39年にオランダが独立承認。

＊1　鉄の結晶構造を実物の1650億倍に拡大してつくられたモニュメント。Atomiumという名前は、Atom（分子）か

国際組織などの参加が続いています。こうした背景には、当時益々激しくなっていた東西冷戦（→P80）が挙げられます。展示の中でひときわ注目されたスプートニクは、それを象徴するものでした。ヨーロッパでも東西の緊張が高まり、国連機関や国際組織の役割が大きくなっていたのです。

尚、この万博は、一般には、右に記したように評価されていますが、1958年がベルギー領コンゴ（現在のコンゴ民主共和国）が設置されてから50年に当たる年であることなどから、実は、時代の流れに反し、「植民地展示」が見られたのです。

アトミウムは、現在も万博会場跡地であるエゼル公園に残っている。　©Jaime de la Fuente

らきている。

＊2　ソ連による世界最初の人工衛星。スプートニクはロシア語で「付随するもの」であり、転じて衛星を意味する。1957年10月に第1号が打ち上げられた。（→P84）

＊3　European Coal and Steel Community（欧州石炭鉄鋼共同体）の略称。石炭・鉄鋼の共同管理を目的に、ベルギー、オランダ、フランス、西ドイツ、イタリア、ルクセンブルクの6か国が加盟し、1952年に発足した経済協力機関。1967年、EURATOM（欧州原子力共同体）、EEC（欧州経済共同体）、ECSCの3つが統合され、EC（欧州共同体）に発展。

近代の万博が始まった19世紀のヨーロッパ諸国は、海外に植民地[*4]を持っていました。そうした国で開催する万博では、植民地紹介が行われていたのです。

植民地展示

今から見ればヨーロッパ主体の僭越な目的が、万博にはありました。その極め付けが、1931年、ちょうどBIE発足の年にパリで開かれた「国際植民地博覧会」でした。マダガスカル、モロッコ、ソマリア、ギアナ、インド、インドシナ等、当時の植民地の村落や珍しい風物の博覧会です。当時の植民地の宗主国[*5]は、万博開催に当たり、何の疑いもなく植民地に関する展示（植民地展示）を行っていたのです。植民地展示の目的は、学術的見地から非ヨーロッパ地域への知見を広めることや、宗主国が植民地の開発と「文明化」に成果を上げたことをアピールすることなどでした。

そうした植民地展示が行われる理由は、一つには各国の意識の問題がありますが、もう一つにはBIE条約の規定が問題でした。同条約には一般博（→P63）で取り上げ得る分野の一例として「植民地の開発」が含まれていたのです。

もとより、第二次世界大戦後「人民の同権及び自決の原則」を謳う国際連合が成立。かつての植民地は時に旧宗主国と戦い、次々に独立を達成していきます。1960年には国連総会で「植民地独立付与宣言」が採択され、アフリカの17か国が一気に独立

＊4　外国の領土として、その外国の政治的・経済的管理下に置かれた地域。

＊5　ある国に対して、内政や外交などを管理する権限をもった国家。管理を受ける側にある国を従属国という。

しました（→P83）。

1962年のアメリカのシアトル万博（→P82）では、植民地展示は一切なくなりました。アメリカ自身が元植民地で、イギリスと戦ってイギリスから独立を勝ち取りヨーロッパ諸国に対し植民地を手放すように働きかけた国なのです。結果、植民地の独立という世界的な趨勢の中で、アメリカが開催したシアトル万博が、植民地展示を一掃する役割を担うことになったのです。

尚、BIE条約から「植民地の開発」が削除されたのは1972年の改正時でした。

国際植民地博覧会の開催中に開設された植民地博物館。

東西対立

第二次世界大戦中、同盟関係にあったアメリカとソ連は戦後、政治体制の違いや相互の軍事力に対する警戒心などから対立を深め、「冷戦」状態になりました。

アメリカとソ連の対立

戦後まもなく、アメリカとソ連の対立は世界中を巻き込みます。アメリカが、西ヨーロッパの国々や日本、韓国など、世界の資本主義体制諸国と同盟を結びます。一方の社会主義国のソ連は、主に東ヨーロッパの国々に軍事的な圧力をかけ、自陣営に組み込みました。

こうして、アメリカに率いられる西側同盟諸国と、ソ連に従う東側同盟諸国が世界中で対立する構図ができあがりました。特にヨーロッパでは、西と東がはっきりと分断されたのです（朝鮮半島とベトナムでは南北に分断）。

当時のアメリカとソ連は世界で1、2を争う軍事大国。その2か国の間に起こったのが、1962年10月のキューバ危機。*1 ソ連がアメリカのすぐ南の海に浮かぶキューバ島に核施設を建設しようとしたことに始まりました。あわや核戦争*2が現実に起こるかもしれないといった危機感が世界中に広まりました。幸いにも、キューバ危機は戦火（熱戦）を免れましたが、それでも、その後も冷戦が世界中を巻き込んでいきました。

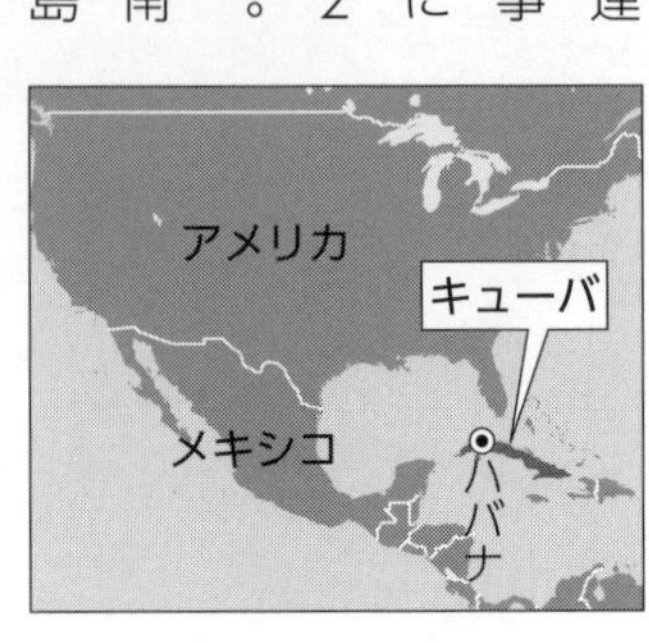

ところが、東・西の両陣営ともに一枚岩ではありませんでした。西側ではフランスが一時期NATO（北大西洋条約機構）の軍事機構[*3]を離脱したり、西ドイツが東ヨーロッパとの関係を改善したりするなど、独自の行動をとることもありました。一方の東側も中国とソ連の対立が始まります。そうした中、アメリカにもソ連にも冷戦が長く続くことが負担になっていました。それぞれに核兵器の開発や自陣の国々との関係維持のために膨大な費用を負担しなければならず、とくに東側では経済的に苦しい状態にあり、西側では軍備拡大への反対運動などがありました。その結果、1989年、冷戦の象徴である「ベルリンの壁」[*4]が崩壊、冷戦の終結が宣言され、1991年、ソ連崩壊！

東西の自由な移動が認められたことでベルリンの壁は「崩壊」に至ったが、今も壁が残されている場所がある。　©DatGuy

＊1　冷戦真っ只中、アメリカ軍の偵察飛行機がキューバに核ミサイル施設が建設されているのを発見。まもなくソ連による計画であると判明。アメリカはキューバの海上封鎖を行い、ソ連にミサイル撤去を求めた。

＊2　核兵器（原子爆弾･水素爆弾･中性子爆弾）やそれらを運搬するミサイル、戦略爆撃機（敵国の戦争遂行能力破壊のために行う長距離爆撃機。直接敵軍に加える爆撃と異なり、敵国の産業破壊、戦意喪失、交通遮断などを意図する）などの兵器を用いる戦争のこと。

＊3　アメリカを中心として、北アメリカ（アメリカとカナダ）およびヨーロッパ諸国によって1949年に結成された軍事同盟。

＊4　第二次世界大戦後、ドイツは東と西で分断されたが、首都ベルリンを通して東側から豊かな西側へと逃亡する人が激増していた。こうした人民の流出を防ぐため、東ドイツによって西ベルリンを囲んで建設された、東西ベルリンを分断した壁のこと。コンクリート製で、全長150キロメートル以上におよんだ。

3 「宇宙時代の人類」をテーマに掲げたシアトル万博

1962年にアメリカで開催された「シアトル万博」の英語名は、とても大胆。「Century 21 Exposition（21世紀博覧会）」というのですから。

国威発揚の場？

シアトル万博のテーマは、「宇宙時代の人類」で、宇宙開発を中心としたアメリカの科学力とアメリカ的生活が優れていることを示すのが大きな目的だったといわれています。そうした万博の参加国数は24。シアトル市中心部で行われた（1962年4月21日〜10月21日）会場に、900万人が入場しました。

会場には「スペース・ニードル」と呼ばれる184メートルの塔の上に空飛ぶ円盤のような回転展望レストランを置き、NASA（ナサ）[*1]が人工衛星の模型や有人衛星カプセルを展示。その他にも、IBM（アイビーエム）[*2]が初期のコンピューターを展示。巨大なテレビ、未来都市、未来の家と未来の自動車など、アメリカの科学技術と産業力を誇るイメージを打ち出す企画が多く見られました。

〈アメリカという国〉

国名：United States of America

面積：983万3517平方キロメートル（50州・日本の約26倍）

人口：約3億3200万人（2021年7月米統計局推計）

首都：ワシントンD.C.

政体：大統領制、連邦制（50州他）

経済規模（GDP）：18兆4226億ドル（実質、2020年）

言語：主として英語（法律上の定めはない）

略史：1776年独立宣言、83年英国が独立を承認、87年憲法制定

＊1　National Aeronautics and Space Administration（航空宇宙局）の略称。アメリカの宇宙・航空

激動の時代

外国のパビリオンの中では、中華民国と韓国がそれぞれの急速な産業化を紹介するとともに資本主義の優位を訴えるなど、冷戦中らしい展示があった他、1960年に多くの国が独立を遂げたアフリカ諸国が共同パビリオンを設置するなど、当時の国際情勢を反映する特徴が見られた万博となりました。

ところで、シアトル万博の真っ最中、ソ連がキューバに核兵器配備を試みたことに、アメリカが武力に訴えてでもそれを阻止しようと一触即発の日が続きました（キューバ危機→P80）。最終的にはそれは回避され、その後には、アメリカとソ連の間で最小限の信頼が生まれました。

1年足らずの工事で完成させたスペース・ニードル。建築費用は450万ドルだった。

ワンポイント情報

日系二世の活躍

シアトル万博では、アメリカの科学パビリオンをミノル・ヤマサキが設計（2001年9月11日の同時多発テロで倒壊した世界貿易センタービルの設計者としても知られる）、商工パビリオンをジョージ・ナカジマ、上記スペース・ニードル内の壁画をポール・ホリウチが描くなど、日系二世が大いに活躍した。

関係の研究と開発を担当する政府機関で、1958年に設立された。

＊2　アメリカのニューヨークに本社を置くテクノロジー関連企業。世界170か国以上で事業を展開する多国籍企業であり、世界最大手規模のIT企業。正式名はInternational Business Machines。

「宇宙開発競争」

領土、領海の上空は国の領空ですが、宇宙は領空ではありません。宇宙は、どこの国でも自由に利用できます。このことが「宇宙開発競争」を引き起こしたのです。

軍事技術から世界初の人工衛星へ

1958年のブリュッセル万博の前年、世界最初の人工衛星スプートニク1号がソ連によって打ち上げられました。ソ連のロケット技術を支えたのは、大戦中イギリスを攻撃するためにドイツが1942年に開発したV2ロケットの技術者たちでした。

戦後、ソ連もアメリカも敗戦国のドイツから技術者たちと様々な技術・資料を取得。1957年にはソ連が一足先にドイツの技術を利用してスプートニクを誕生させました。まもなく、アメリカもV2ロケットを開発した技術者の中心人物を使って人工衛星の打ち上げに成功します。アメリカとソ連の国の威信をかけた宇宙開発競争の始まりです。人工衛星を使えば敵対国の様子も上空から調べることができます。アメリカもソ連も軍事衛星を次々に宇宙に打ち上げました。

人工衛星は同時に気象観測や通信など、国民生活や経済にも大きな便益をもたらします。各国は国民生活に役立つ人工衛星の開発を始めます。シアトル万博のテーマ「宇宙時代の人類」は、まさにそんなタイミングで掲げられたものでした。

ところがその会期中に起こったのが、キューバ危機（→P80）！「宇宙時代」がそのまま「宇宙開発競争」どころか、「宇宙戦争時代」にもなりかねませんでした。

しかし、当時の人類は、シアトル万博のテーマどおり、明るい宇宙時代を求め、その5年後の1967年には「宇宙条約」を結んだのです。

宇宙はどこの国のものでもないことが決まりました。すると、いくつかの国が協力して宇宙開発をしたり惑星探査を行ったりするようになりました。

1975年、アメリカのアポロ宇宙船とソ連のソユーズ宇宙船がドッキング。その後アメリカ、ヨーロッパの国々、日本、カナダ、ロシアが参加する国際宇宙ステーション（ISS（アイエスエス）[＊1]）の建設が進みます。

ワンポイント情報

宇宙条約

この条約の正式名は「月その他の天体を含む宇宙空間の探査及び利用における国家活動を律する原則に関する条約」で、第2条「領有の禁止」、第3条「国際法の遵守」とあり、第4条「軍事的利用の禁止」では、「条約の当事国は、核兵器及び他の種類の大量破壊兵器を運ぶ物体を地球を回る軌道に乗せないこと、これらの兵器を天体に設置しないこと並びに他のいかなる方法によってもこれらの兵器を宇宙空間に配置しないことを約束する」と明記している。

＊1　ISSは、5つの宇宙機関が参加する共同プロジェクト。1998年から地球の軌道上にあり、科学実験を行ってきた。しかし2022年7月、ロシアがウクライナに侵攻して以来、ロシアは、西側の制裁を理由に、早ければ2年後にISSから撤退すると発表。国際的な緊張関係が宇宙へと波及している。

スペースシャトル「アトランティス号」から撮影されたISS。
©NASA

スプートニク1号。

4 シアトル万博から2年後のBIE非公認の万博

「ニューヨーク万博」は、1964年4月22日～10月18日と、1965年4月21日～10月17日の2年連続で開催されました。

テーマは「平和」

この万博の正式名称は「1964 - 1965 New York World's Fair」で、テーマが「理解を通じての平和」でした。冷戦真っ只中（→P80）の当時、多くの人が東西相互の理解を深め、平和につながることを願っていたことを物語っているかのようなテーマ！

また、BIEが公認しなかった万博でありながら会期が長く（6か月が2回）、その間の来場者は5100万人、参加国は約80でした。

会場には、万博のテーマを象徴するかのように、巨大な地球儀とそれを囲む3つのリングからなる「ユニスフィア」と呼ばれるモニュメントが設置されました。このリングは人工衛星を表すもの。また、NASAや国防総省が宇宙ロケットや人工衛星を展示し、アポロ計画[*1]を紹介するなど、シアトル万博の「宇宙時代」という面も引き継ぐものでした。

＊1　NASAによる月面着陸と月での研究を目的に立てられた宇宙計画。1961年、当時のアメリカ大統領ジョン・F・ケネディが1960年代の終わりまでに月への着陸を成功させることを宣言。1969年7月、アポロ11号が人類史上初となる月面着陸に成功した。

＊2　1955年、アメリカの映画製作者ウォルト・ディズニーがアメリカのカリフォルニア州南西部アナハイムに開設した大規模な遊園地。現在、日本の千葉県、香港、中国の上海、フランスのパリ、アメリカのカリフォルニア州と合わせて6か所に点在している。

10億ドルの博覧会

一方、この万博は、1664年にイギリスがオランダ領だったニューアムステルダムを攻略してニューヨークと改名してから300年を記念する行事とされながら、実際には、観光客を増加させ、ニューヨークに経済ブームを呼び込む目的だったといわれました。その証明が、GM（ジーエム）、フォード、IBM、コダック、ペプシなど、アメリカの大企業のパビリオン。GM館の動く椅子に座った観客に近未来の生活を見せる企画や、IBM館の15面のマルチスクリーンを使った上映などが、大人気。また、ウォルト・ディズニーがユニセフの展示品としてつくった「イッツ・ア・スモール・ワールド」は、万博後にディズニーランド[*2]に移設され、今でも世界中の子どもたちを楽しませています。こうした状況に、この万博を経費のかかった「ビリオン・ダラー博覧会」と皮肉る声もあがりました。

ニューヨーク万博の会場。会場中心に見られるのが地球をかたどったモニュメント「ユニスフィア」。
©Anthony Conti

BIE非公認の理由

1964年ニューヨーク万博は、ニューヨークに経済ブームを呼び込む目的だと87ページに記しましたが、そもそも、万博をやろうと発案したのもビジネスマンたちでした。しかも、この万博の責任者にロバート・モーゼス[*3]という土木建築業の大物が就任。彼が民間企業主体の万博を旨とする計画を立てたのが事の始まりでした。万博を民間資金で運営するには出資を集める必要があり、そのためには利益が出て「配当できる万博」にする、即ち、万博を営利事業として運営する計画だったのです。

利益を生むためには、7000万人以上の入場者が必要と想定。それには会期を2か年にする必要があること。さらに出展者には、会場費も払ってもらうことが必須という計算でした。

しかし、こうしたニューヨーク万博の計画は、BIEの規則とは相容れないものでした。BIEの規則では、会期は6か月まで、出展者の会場費は無料、そして1つの国での万博は、10年に1回とされていたのです（1962年のシアトル万博がBIE公認）。

こうした中、モーゼス代表がBIEと条件について交渉するためパリのBIE本部を訪問しましたが、結局、交渉は決裂。その上、彼がマスコミを通じてBIE批判を

＊3　アメリカの都市建設者・政治家（1888〜1981年）。20世紀初頭から60年代にかけて、橋や公園、道路などの新設・整備を行い、ニューヨーク市の大改造を実現。その実力から、マスコミによってマスタービルダー（住宅建築業）と呼ばれ、高い評価を受けた。

繰り広げたことから、ＢＩＥ側が態度を硬化させ、ニューヨーク万博を公認しないことを決定。それだけでなく、ＢＩＥ加盟諸国にニューヨーク万博に参加しないようにと呼びかけたのです。

実は、モーゼスは、１９３９年～１９４０年のニューヨーク万博が成功したので、その経験から、非公認でやっていけると高を括っていたといわれています。結局、イギリス、フランス、カナダなどはこの万博に参加せず、国として参加したのは中小国が多い万博となりました。入場者も、目論んだ７０００万人には届きませんでした。

ワンポイント情報

日本は3つ出展

日本はこの万博に、政府関係のJETRO（ジェトロ）館、民間企業館、レストランと日本庭園の3つで構成した「House of Japan」を出展。この中には、新幹線の実物大模型があった。万博会期中の1964年10月1日が東海道新幹線の開業日だった。新幹線は一足早くニューヨークでお目見えしていたことになる。

5 来場者数の記録更新・モントリオール万博

1967年のモントリオール万博は、カナダ建国100年を記念して行われましたが、この年は、ロシア革命の50周年でもあります。

この万博の招致合戦は、ソ連がカナダに勝ってモスクワ開催を勝ち取ったのですが、その後、ソ連は、西側諸国や世界中からの訪問客が自国に自由主義・資本主義文化を持ち込むことを警戒して開催地の権利を返上。カナダにお鉢が回ってきて、ノートルダム島とセントヘレナ島で戦後2番目の一般博（→P63）として行われたのです。

9年ぶりの大型万博

そうした経緯をよそに、この万博（英語名Universal and International Exhibition Montreal Expo '67）は、1967年4月28日～10月29日（6か月間）で総入場者数5030万人。これは、当時のカナダの人口2000万人の2・5倍に当たる記録的数字。参加国は60、国際機関が2。テーマとして「人間とその世界」が掲げられました。

〈カナダという国〉
国名：Canada
面積：998万5000平方キロメートル（ロシアに次ぐ世界第2位、日本の約27倍）
人口：約3699万人（2021年カナダ統計局推計）
首都：オタワ
政体：立憲君主制（イギリス型議院内閣制と連邦主義に立脚）
経済規模（GDP）：1兆9906億米ドル（2021年、世銀）
言語：英語、フランス語が公用語
略史：1867年、英領北アメリカ法によりカナダ連邦結成（自治が承認）、1931年ウェストミンスター憲章により実質的に英国から独立。

この万博はテーマを重視したことが特徴といわれ、初めて「テーマ館」が生まれました。全体のテーマ「人間とその世界」の下に「人間と健康」「人間と海」「共同体の中の人間」「創造者としての人間」のサブテーマがあり、そのためのパビリオンが設置されました。前衛的な集合住宅「ハビタット67」が注目され（今でも住居として使われている）、ソ連館に展示されたロケットのカプセル（人類初の有人宇宙飛行をしたガガーリン飛行士[*1]の乗ったもの）が人気となり、1300万人もの客が参観。これは、1958年ブリュッセル万博でのスプートニク以降、さらに技術が進んだことを見せる意図でした。

テーマ館の誕生

尚、モントリオール万博の2会場のうち、ノートルダム島は人工島（夢洲（ゆめしま）と同じ→P224）です。

モントリオール万博の一部として建設された集合住宅「ハビタット67」。会期中はモントリオールを訪れた高官たちの仮宿舎になった。

＊1　ソ連の軍人、宇宙飛行士。1961年ソ連の宇宙船ボストーク1号で人類初の有人宇宙飛行を行った。日本では「地球は青かった」という名言で知られる。1934年〜1968年。

大成功と評されるモントリオール万博ですが、その陰で、大きな国際問題になりかけたことがありました。

問題発言

万博が開かれたモントリオールは元フランスの植民地で、フランス語圏のケベック州にあって住民は普段英語でなくフランス語を話している町です。[*2] モントリオールが開催地に選ばれた背景には、建国２００周年の機に国の２つの言語、２つの文化の融和を促し「一つのカナダ」を強調する意図もあったのです。

そんな中、この万博を訪れたフランスのド・ゴール大統領[*3]は、フランスの独自性やフランス語、フランス文化を誇りとする人物。その彼が「自由ケベック万歳！」と発言。無用の摩擦を起こしたのです。

そもそもド・ゴール大統領は、フランスとフランス語・フランス文化の栄光を重視し、アメリカやイギリスへの対抗意識の極端に強い人でした。１９６０年にサハラ砂漠で核実験を行い、独自に核武装する道を歩み、アメリカ・イギリス・ソ連による部分的核実験禁止条約[*4]（１９６３年）への参加を拒否。さらに１９６６年にはＮＡＴＯの軍事機構（→P81）から脱退。外交面でも、フランス中心のヨーロッパ統合を目指してイギリスのＥＥＣ（イーイーシー）[*5]加盟を拒み、１９６４年には中国と国交を樹立するなど、冷戦下であったにも関わらず西側が一枚岩で行動することを必ずしも良しとしない、独立独

＊2　カナダでは、今でも英語を話す人たちとフランス語を話す人たちの間に少なからずの齟齬があり、フランス語圏の独立を目指す人がいる。当時は、もっと激しく、独立運動が繰り広げられていた。

＊3　フランスの軍人、政治家（任期１９５８～１９６９年）。第二次大戦後にフランスの首相、大統領を務めた。フランスの核武装、ＮＡＴＯ軍事機構からの離脱等を実施。１８９０年～１９７０年。

＊4　核実験の制限に関する初めての国際条約。大気圏内外と水中の核実験を禁止。前年のキューバ危機やこれまでの核実験に対する国際的批判の高まりを背景に成立。

歩の政策を好む指導者だったのです。このようなフランス第一主義は、ド・ゴール大統領の名をとって「ドゴーリズム」といわれました。

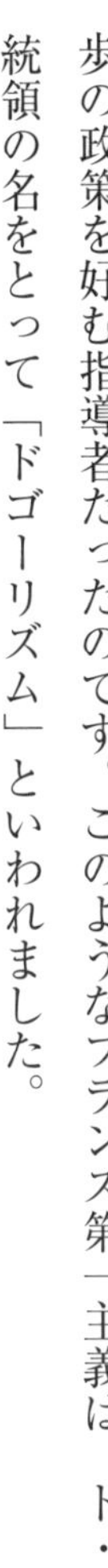

ポーランドの首都ワルシャワに設置されたド・ゴールの像。ポーランドとソビエト（ロシア）の間で起きた、ポーランド・ソビエト戦争で、ド・ゴールはポーランドの軍事顧問として活躍。ポーランド政府から勲章を授与された。

©Andrew Milligan sumo

＊5　欧州経済共同体。1958年ベルギー、フランス、西ドイツ、イタリア、ルクセンブルク、オランダの経済統合を目的として設立された国際機関。

6 環境がテーマとなったスポーケン万博

1974年5月4日から11月2日まで開かれたスポーケン万博は、アメリカのワシントン州にあるスポーケン川の中州（なかす）とその周囲が会場となりました。

自然環境を大切に

この万博（特別博→P63）は、シアトルに次ぐ州第2の都市であるスポーケン市誕生100年とアメリカ建国200年記念の公式行事の一環として行われました。参加国が10で、総入場者数が560万人と記録されています。英語名「International Exposition on the Environment, Spokane 1974」にあるように、Environment（環境）意識が中心となり、万博として初めて環境保護が提起されたスポーケン万博のテーマは「未来の環境のため」でした。

この頃、世界は環境問題が注目されていました。1972年スウェーデンで「かけがえのない地球」（Only One Earth）を標語として国連人間環境会議[*1]が開催されました。同年、国際的な研究者団体のローマクラブ[*2]が「成長の限界」と題する報告を発表。人口増加や環境破壊によって資源が枯渇し、人類の成長が限界に達するだろうと警告。1973年には第四次中東戦争を機に石油危機（「第一次石油ショック[*3]」）が起

＊1　国際連合が主催した環境問題に関する初めての国際会議。114か国が参加し、環境保全についての共通見解を記した「人間環境宣言」を採択。会議では先進国と途上国のあいだで環境と開発のどちらを優先するかが争点となった。

＊2　1968年、各国の科学者、経済学者、教育者、経営者などがローマに集い創設した国際的な民間組織。天然資源、環境、人口などの諸問題を研究し提言。

＊3　1973年の第四次中東戦争において、アラブなどの石油輸出諸国が石油の減産や禁輸を行ったために石油価格が高騰し、世界経済に大きな打撃を与えた事件。日本では

こり、資源や環境問題に対する関心が世界中で高まっていきます。スポーケン万博のテーマが「未来の環境のため」となったのは、実にタイムリーだったのです。

新しい環境づくり

開会式では、1974匹のマスをスポーケン川に放流するといったパフォーマンスが行われました（その背景には、ワシントン州がアメリカで初めて環境保護法を制定したことがある）。老朽化した工業施設の多かった会場予定地区は、環境問題に留意して整理・再開発・河川の洗浄などが行われたといいます。

期間中には、国連で定められた世界環境デー[*4]（6月5日）に環境シンポジウムが開かれ、IMAX（アイマックス）シアターではアメリカの環境汚染の現状を上映するなど、環境関連の行事が多く行われた万博でした。閉会後も「環境万博」の名にふさわしく、会場跡地は40ヘクタールに及ぶ広大な公園となり、いくつかのパビリオン[*5]が今でも使われています。

スポーケン万博が行われた中州は、現在公園となり、パビリオンが今でも残されている。　©Mark Wagner(User:Carnildo)

スーパーの店頭からトイレットペーパーや洗剤が消えた。

*4　1972年6月5日から国連人間環境会議が開催されたことを記念し、同年の国連総会で、毎年6月5日を世界環境デーとすることが決定された。環境の保護に関する関心と理解を深め、人々の取組みを推進することが目的。

*5　一般的に、展示会や博覧会のための仮設の建物を意味し、終了後にとり壊されてしまうことも多いが、そのまま常設として利用され続けることもある。なお、「パビリオン」という言葉は、日本では1970年の大阪万博を機に、カタカナ語として広く定着した。

7 ノックスビル万博はエネルギーがテーマ

1982年、アメリカのテネシー州で開催されたノックスビル万博のテーマは、「エネルギーは世界の原動力」でした。

ECと中国が初参加、ソ連は不参加に

この万博は、1982年5月1日～10月31日（6か月間）、市内の鉄道車両基地跡で、特別博（→P63）として行われました。英語名「The Knoxville International Energy Exposition-Energy Expo 82」のとおり、Energy（エネルギー）が課題となりました。

テネシー州の工業都市・ノックスビルが開催地に決定したのは、1977年のBIE総会でした。決定理由は、大規模水力発電で有名なテネシー川流域開発公社やエネルギー省の研究所などがあり、エネルギーと関連の深い町だったからでした。ところが、1979年に第二次石油危機が勃発。エネルギーというテーマが、開会を前にして世界中で注目されました。

参加国は16でしたが、イギリス、フランスなどのヨーロッパ諸国とは別に、EC（イーシー）[*1]が初参加。また1979年にアメリカと国交を回復した中華人民共和国も初めて万博

＊1　欧州共同体。1967年、EEC（→P92）、欧州石炭鉄鋼共同体、欧州原子力共同体が統合して成立。後に加盟国が増加し、機能を拡大して欧州連合（EU）に発展。

に参加し、その後、万博の常連となりました。しかし、参加予定だったソ連が、1979年のアフガニスタン侵攻（→P129）のため参加招請が撤回され不参加。結局、総入場者数がおよそ1100万人となり、同じアメリカで行われた8年前のスポーケン万博の2倍ほどにとどまりました。

将来世代のためのイノベーション

万博のシンボルとなった81メートルのサンスフェア塔は、エネルギーと生命の源である太陽を象徴するもので、今でも健在です。またエネルギーや科学技術に関するイノベーション（→P214）の紹介も目立ちました。石油危機に対応するためソーラーパネルを付けた家が展示され、タッチスクリーン技術を使ったコンピューターが人気となりました。

その一方で、ペルーのミイラ、古代エジプトの彫刻、巨大なルービック・キューブといった変わり種展示もあり、エンターテインメントも充実。会場では毎日、音楽や踊りの上演、アメリカンフットボールや野球の試合も行われ、人気を集めました。

ノックスビル万博のシンボルとなったサンスフェア塔。©MJ

8 「アメリカ最後の万博」といわれるニューオリンズ万博

アメリカは、現在までのところ、1984年を最後に、万博を開催していません。その理由は、その万博が大赤字だったからだといわれています。

赤字の理由

ニューオリンズ万博（特別博→P63）は、英語名がThe 1984 Louisiana World Expositionとされましたが、参加国が15で、総入場者数は、約730万人。会期中（1984年5月12日〜11月11日）に万博実施主体（「ルイジアナ万博株式会社」）が破産し、大きな赤字となりました。その理由は、2年前に同じアメリカで万博が開かれたばかりだったことや、同じ年にロサンゼルス・オリンピックが開催されたこと、ディズニーワールド[*1]に新しい施設ができたことなどが挙げられました。

それでも会場になったルイジアナ州を流れるミシシッピ川のウォーターフロント地区（古い倉庫地帯）が万博のために再開発され、その後、跡地には大規模なショッピングセンターや会議場などの商業・居住施設ができ、現在も大いに役立っているといいます。この地域にとって、万博が、テーマである「河川の世界・水は生命の源」だっ

＊1　ウォルト・ディズニー・プロダクションズが経営する、米国南東部フロリダ州オーランドにある広大な遊園地。1971年開園。

＊2　1972年、米航空宇宙局（NASA）によって開発されたスペースシャトル1号機。当時の米人気SFテレビドラマ「スタートレック」に登場する宇宙船「エンタープライズ号」に因んで命名され、1981年から2011年に使われた。「スペースシャトル」はNASAの有人宇宙飛行船の種類で、それまでのロケットと異なり反復した利用が可能。

たといえるかもしれません。

国際河川博覧会

この万博は、川と水をテーマにした万博らしく、訪問客を楽しませたのは、川を行き来するゴンドラ、アメリカ館で水をテーマにした3D映画など。それでも一番人気は、なんといってもスペースシャトル・エンタープライズ号[*2]でした。

財政面では不名誉な記録を残したニューオリンズ万博ですが、万博史上初めてマスコットが登場。セイモア・D・フェア（Seymore D. Fair）という名の青いタキシードを着たペリカンでした。しかし、その人気もディズニーのキャラクターの比ではなかったのはいわずもがな。

人気歌手を呼んだコンサートを開催したり、モノレールを設置したり、訪問客を呼び込む努力も見られましたが、期待した1100万人には届きませんでした。

ワンポイント情報

ニューオリンズ

ニューオリンズはかねてから綿花の輸出で栄えたところで、1784年に初の綿花輸出を記念した博覧会、1884年にはその100周年を記念して世界産業・綿花百周年博覧会が開かれた町だ。1984年の万博は、さらにその100周年という意義があったとされている。

万博史上初のマスコット、セイモア・D・フェア。
©Ddj001

アメリカと万博・BIEの関係は波乱万丈

アメリカは多くの万博に出展、何度も開催してきました。特に20世紀に入ってからは万博の主役といってよいほど、アメリカは万博に積極的な国でした。

万博ショック

アメリカが初めて万博を開催したのは1853～1854年のニューヨークでした。[*1] 次いで1876年フィラデルフィア。[*2] その後、左記のとおり、積極的に開催。その間、1968年BIEに加盟します。

1893年／シカゴ	1939・1940年／ニューヨーク
1901年／バッファロー	1962年／シアトル
1904年／セントルイス	1964・1965年／ニューヨーク
1905年／ポートランド	1968年／サンアントニオ
1915年／サンフランシスコ	1974年／スポーケン
1926年／フィラデルフィア	1982年／ノックスビル
1933・1934年／シカゴ	1984年／ニューオリンズ
1939・1940年／サンフランシスコ	

しかし、1984年のニューオリンズ万博の失敗（↓P98）以降、アメリカは万博にたいへん後ろ向きな国になってしまいました。1991年には、アメリカ合衆国連邦議会で万博のパビリオンには政府資金を一切使わないことを決定。2001年、BIEを脱退します。ニューオリンズ万博以降、アメリカは40年近く万博を開催していないばかりか、1992年セビリア万博、1998年リスボン万博、2000年ハノーバー万博には参加もしませんでした。

再び万博開催へ

ところが、近年、万博を取り巻く国際社会へ徐々に復帰。2005年愛知万博には、日本の働きかけもあってやっと参加。その後2010年上海、2012年麗水（ヨス）、2015年ミラノ、2017年アスタナに参加し、同年には、BIEに復帰しました。2021年ドバイに参加した翌年には、2022・2023年の認定博開催に手を挙げました。しかし、その招致競争でブエノスアイレス（アルゼンチン）に敗北（但し、その後ブエノスアイレスは、アルゼンチンでの政権交代、コロナ禍、経済情勢などにより辞退）。さらに2027・2028年認定博をミネソタで開催すべく立候補しましたが、2023年6月のBIE総会ではベオグラード（セルビア）が開催国に決定。アメリカの万博開催国への復帰はまた遠のいてしまいました。

アメリカと国際的取り決め

アメリカは、国際条約など、国際的な取り決めに参加しても、その後離脱したり、再復帰したりすることが珍しくない国だ。これまでにユネスコ、気候変動に関するパリ協定、国連人権理事会など、離脱した後、その後の国際情勢に鑑み再復帰している。

＊1　1853年7月14日に開会。ニューヨーク市リザーバー・スクエアを会場にし、ヨーロッパとアメリカ大陸から23か国、4850の出品者が参加。オーティスの出品した落下防止装置付き蒸気エレベーター等の機械類の他、彫刻や絵画も多く出品された。開催当初は反響が大きく客足も多かったが、最終的な収入は経費の半分、30万ドルの負債という赤字に終わった。

＊2　アメリカ独立100周年を記念し、1876年5月10日に開会。開会式には37か国、20万人が参加。本大会は機械類の展示を主とし、発明品としてレミントン社のタイプライター、ベルの電話、エジソンの四重電信装置等が発表された。開催当初には集客数が伸びたものの、最終的に大幅な赤字に終わった。

9 「世界交通博覧会」といわれたバンクーバー万博

１９８６年のバンクーバー万博は「動く世界、触れ合う世界」をテーマに掲げた「交通博覧会」。アメリカ、ソ連、中国が揃って参加しましたが……。

19年ぶりのカナダ開催

カナダで開かれる2回目となるこの万博は、カナダの西の端に位置するバンクーバーで、１９８６年5月2日～10月13日（6か月間）にバンクーバー市創設１００周年記念として行われ、54か国が参加、２２００万人以上が来場（その半分はアメリカからの訪問者）。これは、アメリカの１９８２年のノックスビル万博の2倍、１９８４年ニューオリンズの3倍という大盛況ぶりでした。しかし、カナダで初めて行われた１９６７年のモントリオール万博（フランス語圏のケベック州→P90）に５０００万人以上が訪れたのに比べると半分にも達しませんでした。

交通コミュニケーション

この万博は、その英語名「The 1986 World Exposition on Transportation」からわかるとおり、「Transportation（交通）」に関する特別博（→P63）で、テーマは「交通とコミュニケーション：動く世界、

＊1　フランスの高速鉄道。１９７２年に最初のＴＧＶ車両が試作され、１９８１年9月27日パリ・リヨン間で開業。当時世界最速であった日本の新幹線の時速２１０キロメートルを上回る最高時速２６０キロメートルを実現（のちに時速２７０キロメートルに更新）、現在も世界最速の座を保持している。

＊2　強力な磁石の力を使って、線路に接触せず浮いて走行するため、時速５００キロメートルのスピードが出せる。

＊3　スペースシャトル2号機（→P98脚注）

＊4　宇宙船の一種だが、地球の衛星軌道上にあって、宇宙飛行士が長期にわたって滞在し様々な実験を行うこ

触れ合う世界」が掲げられました。会場にはそのテーマにふさわしく、無料のモノレール、スカイトレイン（全自動交通システム）を設置。フランスからTGV[＊1]の実物大模型、日本からはリニアモーターカー[＊2]の模型が展示されました。また、古い交通手段である気球の展示などもありました。

一方、専門家向けの交通に関する多くの行事が企画され、北極海の交通、海洋の資源開発、代替燃料など、時代の先端を行く課題についてのセミナーが多く開かれました。

尚、この万博にはアメリカ、ソ連、中国が参加し、自国の科学技術の進歩をPR合戦。アメリカが宇宙開発の歴史やスペースシャトル・コロンビア号[＊3]を、ソ連は巨大な宇宙ステーション[＊4]の模型を、そして中国は宇宙ロケットや通信衛星を誇示しました。ところが折あしく、１９８６年1月にはスペースシャトル・チャレンジャー号の爆発事故[＊5]、同年4月にチョルノービリ原発事故[＊6]があったため、両国の威信に影が落とされました。

バンクーバー万博会場内を走行したモノレール。
©Sandra Cohen-Rose and Colin Rose

とを主な目的とする。

＊5　打ち上げ73秒後に大西洋上で爆発・空中分解した事故。6名の飛行士と宇宙授業のために搭乗した教師1名の乗組員全員が死亡。

＊6　旧ソ連ウクライナのチョルノービリ原子力発電所で発生した大規模原発事故。大きな爆発・火災で原子炉が破壊され、世界各地に放射能が拡散した。

10 太平洋島嶼諸国が初めて万博に参加したブリスベン万博

1988年のブリスベン万博は、オーストラリアで2度目の万博開催です。「技術時代のレジャー」をテーマに大成功を収めました。

108年ぶり2度目の開催

ブリスベン万博の英語名は、「International Exhibition on Leisure, Brisbane 1988」。会期は1988年4月30日~10月30日（6か月間）で、テーマが「Leisure in the age of Technology（技術時代のレジャー）」とされた特別博（→P63）です。

参加国は36で、総入場者数が、約1856万人。その頃のオーストラリアの人口が約1600万人ですから成功といえるでしょう。その後、万博跡地が、クイーンズランド州の観光振興やブリスベンの発展につながりました。日本政府が建築した日本庭園はブリスベン市に寄贈され、今は市の植物園内に移転され存続しています。この点からも大成功の万博だったといえるでしょう。

この万博は、オーストラリアにとって1880年のメルボルン万博以来、実に108年振り。植民開始200周年の節目の年。開会式にはエリザベス2世が参列しました。

〈オーストラリアという国〉

国名:Commonwealth of Australia

面積:769万2024平方キロメートル（日本の約20倍、アラスカを除く米とほぼ同じ）

人口：約2575万人（2021年9月、豪州統計局）

首都：キャンベラ

政体：立憲君主制

経済規模（GDP）：1兆3593億米ドル（2021年4月、IMF）

言語：英語

略史：1901年豪州連邦成立

レジャーの追求

各国はそれぞれに文化的な特色を生かしたレジャーに関係する展示や行事で来場者を楽しませました。スイスは「レジャーとテクノロジー」を象徴するような「人工スキースロープ」の展示でした。ドイツのビアガーデンもレジャーのうち？　日本はハイデフィニション（高品位）テレビと共に伝統的な日本庭園（レジャーといえるのかは？）。それでもお国柄の現れた展示は人気を呼びました。ネパールは首都カトマンズにあるパゴダ[*1]のレプリカ、ホスト国オーストラリアのパビリオンは、観光スポットであるエアーズロック[*2]を模した形、中では先住民であるアボリジニの伝説が物語られていました。

尚、この万博には多くのアジア大洋州諸国が参加する中、ソロモン諸島、トンガやバヌアツなどの太平洋島嶼諸国が初めて参加しました。

シドニー、メルボルンに次ぐオーストラリア第三の都市ブリスベンで開かれた万博。

＊1　仏教建築の一種で仏塔と呼ばれる塔。

＊2　オーストラリアの中央にある高さ約350メートル、周囲約10キロメートルに及ぶ世界最大の一枚岩。先住民族がウルルと呼ぶ聖地。

©Chandersahu

11 22年ぶりの登録博覧会の開催で湧いたセビリア万博

1992年のスペインでは、セビリア万博の他に、バルセロナ・オリンピック、マドリード欧州文化都市という3大行事が行われ、スペインに世界中の関心が集まった年でした。

セビリア万博のテーマは「発見の時代」。1992年はコロンブス(↓P110)がアメリカ大陸に到達した1492年から500周年、万博の閉会日10月12日もコロンブスのアメリカ到達日に合わせたというわけです。

冷戦終結後の開催

セビリア万博は、1970年の日本万国博覧会以降しばらく途絶えていた登録博／一般博(↓P63)の22年振りの開催でもありました。

実は、コロンブスが到着した側のアメリカ大陸でも、アメリカのシカゴが1992年に、同じくコロンブス500周年を記念して万博を開催すべく名乗りを上げていました。同じ年に別の国で複数の万博を開催できない規則ですから、スペインとアメリカは相談の結果、共同開催（但し会場はシカゴとセビリアに分かれる）という奇策で申請し、承認されました。しかしその後、シカゴが財政難などを理由に降りた結果、

〈スペインという国〉
国名：Kingdom of Spain
面積：50万6000平方キロメートル
人口：約4740万人（2021年、IMF）
首都：マドリード
政体：議会君主制
経済規模（GDP）：約1兆4262億ドル（2021年、IMF）
言語：スペイン（カスティージャ）語，バスク語(バスク州、ナバーラ州北西部)、カタルーニャ語（カタルーニャ州、バレアレス州）、ガリシア語（ガリシア州）、バレンシア語（バレンシア州）、アラン語（カタルーニャ州）
略史：1492年国土回復完了、1986年EC加盟

セビリアのみの開催となった経緯があります。

あらゆる分野での発見

万博そのものは、コロンブスの時代「15世紀」、「発見」、「航海」、「現在」の4つのテーマ館の他、国や企業などが出展しましたが、中でも日本館は安藤忠雄(あんどうただお)氏[*1]による巨大な木造建築物で、安土城天主(あづちじょうてんしゅ)の復元展示などが人気でした(↓P156)。15世紀にコロンブス一行が乗った船も再現され耳目を集めました。

この万博の特徴はまた、毎日繰り広げられたコンサート、オペラ、フラメンコ、サルサ、タンゴ、花火などのイベントという、いわばお祭りの要素満載だったことです。夜更かしの国スペインらしく、会場は毎日朝9時から午前4時まで開場されていました。

そんなセビリア万博ですが、冷戦終結という国際情勢の変化を如実に表したのが参加国です。1990年に東西統一[*2]を果たしたドイツが統一ドイツとして参加。1991年のソ連崩壊(↓P130)のおかげで独立を回復したエストニア、ラトビア、リトアニアのバルト三国[*3]は共同で参加。ソ連館の看板がロシアに書き換えられました。

＊1　日本の建築家。1941年大阪生まれ。独学で建築を学び、セビリア万博日本政府館をはじめ日本や世界の多くの建築を手掛ける。2010年文化勲章受章。

＊2　第二次世界大戦後、ドイツは自由民主主義の西ドイツ（ドイツ連邦共和国）と共産主義下の東ドイツ（ドイツ民主共和国）に分裂していたが、1990年西ドイツに東ドイツが編入され統一された。

＊3　バルト海沿岸のエストニア、ラトビア、リトアニアの3か国のこと。一時ロシア、ソ連に併合されていたが、1991年に独立を回復。

12 1992年開催のもうひとつの万博

1992年、スペインのセビリアに続いて、5月にイタリアのジェノバで万博開催。テーマもセビリア万博と同じく、コロンブスに因んだもの！

テーマは「船と海」

この万博は、500年前の1492年にアメリカに到達したコロンブスがジェノバ出身だったことに因んだもの。でも、セビリアが一般博だったのに対し、ジェノバ万博は特別博（→P63）として行われました。正式名は「Specialised International Exposition Genoa 1992」。それでも、51か国が参加し、約82万人が来場したといいます。

万博のテーマは「クリストファー・コロンブス―船と海」。その下に①過去：コロンブスから現在に至るまでの船と海の歴史、②現在：環境、社会、経済、文化の面から今日の航海と海を考察、③未来：バランスのとれた海洋資源利用、環境保護などを含めた人類と海のかかわりといった3つのサブテーマが設けられました。

旧港地区の活性化が目的？

会場には、イタリアが、同国最大の水族館や貨物船のクレーンをイメージした万博のシンボルを建設。日本館では、侍の姿をした

〈イタリアという国〉
国名：Italian Republic
面積：30万2000平方キロメートル（日本の約5分の4）
人口：6036万8千人（2021年国連推計値）
首都：ローマ
政体：共和制
経済規模（GDP）：2兆1013億ドル（2021年、IMF推計）
言語：イタリア語
略史：1861年、イタリア王国成立、ムッソリーニ独裁を経て1948年共和制に移行。

ロボットが海と日本のかかわりを説明したり、かつての青函連絡船「羊蹄丸」[*1]を展示したりして人気を集めました。

ところが、この万博は開催前から真の狙いが停滞したジェノバの旧港地区の活性化にあると見られていたとおり、その後、その水族館に毎年100万人が訪れるようになるなど、地域の活性化に成功！　しかしその一方で、入場者が2倍に、収入は3倍に水増しして発表されていたことが発覚。実際はそれほど成功していなかったなどと指摘され、ジェノバ市長が辞任に追い込まれました。

今でもイタリア最大であり、ヨーロッパでも最大級を誇るジェノバの水族館。
©Francesco Crippa

＊1　1965年以降、青森・函館間を結ぶ青函航路で人や貨物を運ぶ連絡船として活躍。約113キロメートルの航路を約3時間50分で運行。88年に青函トンネルが開通されると退役。

コロンブスと大航海時代と万博

セビリア万博とジェノバ万博のテーマとなったコロンブスの功績は、それ以外の万博にも影響を与えていたようです。

コロンブスの功績

かつてのヨーロッパは、アジアを結ぶルートは陸路しかなく、しかも、そのルートは、中東のイスラム勢力に遮られていました。ところが15世紀も終わりになると、航海技術が発達。遠洋航海ができるようになります。

一方で、香辛料等、アジアの産品への需要が益々高まっていました。そうした中、ヨーロッパ諸国は、アジアへの海のルートの開拓を始めます。ポルトガルがアフリカ大陸を回ってインド（カリカット）に到達（１４９８年）。しかしコロンブスは「地球は丸いのだからヨーロッパから西に航海すれば早くアジアに着くはずだ」と考え、スペイン王室の支援を受け１４９２年、西へ向かって航海。アメリカに到達し、歴史に残る快挙となりました。

その後コロンブスの後を追うように、多くのヨーロッパ人がアメリカ大陸、そして、アジア大洋州へと進出。植民地化し、征服し、新たに国をつくっていきました。そうした15世紀末から16世紀初頭は、後に「大航海時代」と呼ばれるようになりましたが、それはヨーロッパから多くの船が航海したことによります。大航海時代には、左に示す歴史的な事件が続きましたが、それぞれが（　）に示す万博につながったのです。

・1664年、イギリスのニューヨーク攻略（1964年ニューヨーク万博）
・1784年、綿花輸出開始（1984年200年記念ニューオリンズ万博）
・1867年、カナダ建国（1967年100周年記念モントリオール万博）
・1886年、バンクーバー市創設（1986年200周年バンクーバー）
・1988年、オーストラリア植民開始（1988年200周年ブリスベン）

アメリカ大陸到達！

コロンブスは現在のイタリア・ジェノバ生まれの船乗りですが、ヨーロッパ各地を転々とし、最初にポルトガル王に航海への援助を要請しますが断られ、その後にスペインに行き、長い交渉の末に王室から支援を獲得しました。それ故、スペインもイタリアも、我が事のようにアメリカ大陸到達500周年を記念した万博を開催したのです。

因みにコロンブスは自分が目指したのは新しい大陸ではなくアジアであり、到達したのはインドだったと最期まで考えていました。アメリカ大陸の先住民がインディアンと呼ばれ、彼が最初に着いたバハマや近隣の島々が西インド諸島と呼ばれているのは、このコロンブスの誤解によるものです。

コロンブスの第1回目の航路

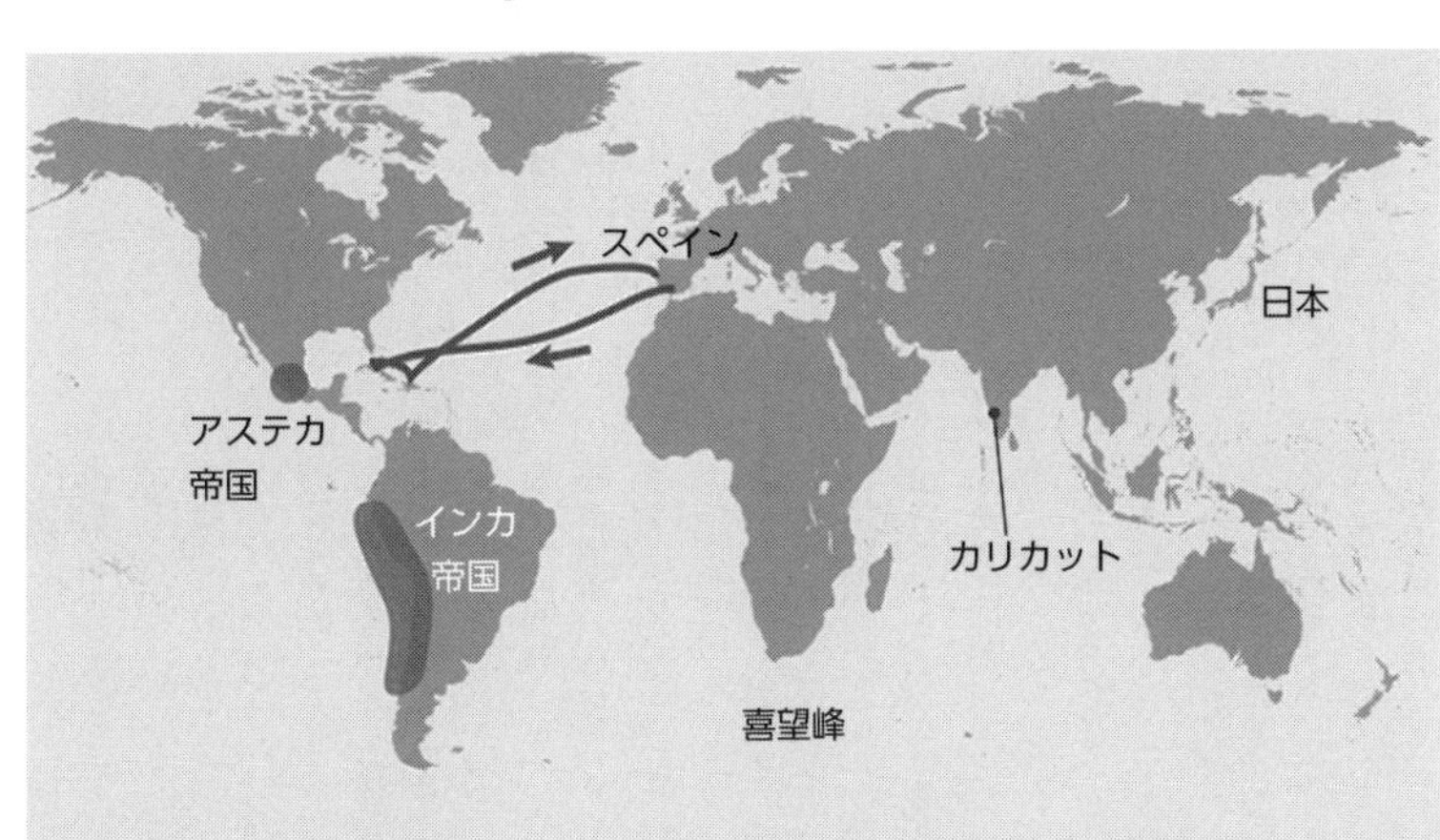

13 大航海時代の先駆者ポルトガルの万博

リスボン万博は1998年、国連総会で「国際海洋年」と定められ、海洋環境に対する関心が世界中で盛り上がっている年に開催されました。

海について、より深く知る！

この万博は、ポルトガルの首都リスボンにある大西洋に流れ込むテージョ川河口地区で1998年5月22日〜9月30日に行われた特別博（→P63）です。143か国と国際機関14が参加し、当時のポルトガルの人口を上回る1000万人強が来場し、大いに成功。その後も万博跡地とその周辺地域が再開発され橋や地下鉄等の施設がつくられ、今でも有効活用されています。

万博のテーマは「海、未来への遺産」。会場には、海の未来、海のバーチャル・リアリティ等をテーマにしたパビリオンがつくられ、水族館や深海底へのバーチャル・ツアーなど、海についてより深く知るための企画が人気を集めました。他にも、海を埋め立てて国造りをした歴史や洋上風力発電[*1]を展示したオランダ館、氷山や鯨の生態系に関する展示などが注目されたアメリカ館、日本人の海をめぐる文化や、漁業などを紹介するとともに潜水調査船「しんかい」[*2]の模型を展示した日本館なども人気でした。

〈ポルトガルという国〉

国名：Portuguese Republic

面積：9万2225平方キロメートル（日本の約4分の1）

人口：約1029万人（2021年、IMF）

首都：リスボン

政体：共和制

経済規模（GDP）：約2500億ドル（2021年、IMF）

言語：ポルトガル語

略史：1143年ポルトガル王国成立、その後スペインとの同君連合を経て1640年独立、1910年以降共和制。1986年EC加盟。

＊1　海上に風車を設置して発電すること。陸上では風力発電の可能な土地が減っていることから洋上風力発電

リスボン万博の跡地、万博記念公園には、約1キロメートルにわたる遊歩道や、360度周囲を見渡せるゴンドラリフトなどが残されていて、今でも訪れる人が多い。

が注目されている。

＊2　深海に潜って様々な調査を行う有人潜水調査船。最新のモデルは6500メートルの深さまで潜ることができる。

14 20世紀最後の万博・ドイツ初の一般博

2000年のハノーバー万博は、ドイツ統一10周年を記念する万博です。ドイツはヨーロッパ随一の大国にもかかわらず、初めての開催となりました。

この万博は、ドイツのニーダーザクセン州の州都ハノーバーで155か国が参加して開催され、2000年6月1日〜10月31日（5か月間）に約1800万人が来場しました。

環境保護と持続可能な開発を重視

テーマに「人類・自然・技術」を掲げたドイツは、参加国に人間、自然・環境、技術のよりよきバランスを目指す未来のビジョンを提供するよう呼びかけました。その背景には、BIEの1994年の総会決議がありました。それは、万博会場は閉会後も永く活用すること等。ドイツはその決議を順守し、環境保護と持続可能な開発を重視して会場建設を行いました（既存の国際見本市会場を活用、その後も省エネ住宅に再利用）。

各パビリオンでは、オランダ館の電力が風力発電でまかなわれたり、スペイン館が再生可能なコルクで建設されたり、日本館も再生紙と紙管の柱を使ったりするなど、

〈ドイツという国〉

国名：Federal Republic of Germany
面積：35万7000平方キロメートル（日本の約94％）
人口：約8319万人（2020年9月、独連邦統計庁）
首都：ベルリン
政体：連邦共和制
経済規模（GDP）：3兆8620億ドル（2019年）
言語：ドイツ語
略史：1871年にドイツ帝国成立。その後ワイマール共和国成立、ヒトラー独裁、東西ドイツ分裂を経て1990年再統一。

環境保護を訴える企画が多く見られました。

SDGs（エスディージーズ）へのステップ

一方、環境、エネルギー、知識、情報、未来の健康と栄養といった万博のサブテーマの下、国際的な対話セッションが多く開催され、様々な環境問題について各国間で情報を共有し合い、パートナーシップで問題を解決するにはどうすればいいかなどが話し合われました。

しかし、この万博は、入場者数が事前に想定していた4000万人の半数に満たず、企業のスポンサーシップ[*1]も期待に届かず、大きな赤字を出して財政的には失敗に終わりました。それでも、2015年に国連で採択されるSDGs（エスディージーズ）の目標につながるものとして高く評価されました。

ワンポイント情報

財政難の理由

入場者数が期待より少なかった理由として、会期が短かったことや入場料が高かった（69マルク）ことが挙げられているが、環境保護を前面に打ち出したことで多くの企業が関与を控えたことや、環境を破壊してきた人類、即ち、来場者を説教するようなイメージがあったことが挙げられた。尚、参加を予定していたアメリカが途中で辞退したことも影響したといわれている（アメリカは翌年にはBIEも離脱→P100）。

日本館の外観。博覧会閉会後に解体されるパビリオン自体が環境負担とならないよう、産業廃棄物を最小限に抑えるために、建材のリサイクルまたはリユースを考え、再生紙や紙管などを使用している。
©Jean-Pierre Dalbéra from Paris, France

＊1　企業などが、スポーツや文化関係イベントなどに資金などの面で支援をすること。企業は会場に広告を出すなどの見返りを得ることができる。

15「サラゴサ憲章」を生み出した万博

2008年のスペイン・サラゴサ万博は、SDGsが2015年に発表される前に、「持続可能な開発」をテーマに行われました。

水と人間のかかわり

スペインのサラゴサ市のエブロ川岸地区で開催された万博（特別博→P63）は、「Water and Sustainable Development（水と持続可能な開発）」のテーマの下で、サブテーマを8つのセクション（「島」、「熱帯雨林」、「オアシス」、「温帯林」、「氷と雪」、「山」、「川」、「平原」）に分類。144か国が参加し、総入場者数565万人を記録しました。

会場で人気を集めたのは、ドイツ館のボート・ツアー、天井から降る水でできた湖を展示したスイス館、そして江戸時代の水との共生や循環型社会などを紹介した日本館など、水と人間のかかわりを実感できるもの。また、スペインが万博のためにつくった「川の水族館」は、ナイル川、メコン川、アマゾン川、エブロ川など世界中の河川から300種の生き物を集めた淡水の水族館（ヨーロッパ最大）で、今でも水族館として使われています。

課題解決への提案

一方、「水の論壇」と題して、世界から科学者、技術者、ビジネス、政治家など各界代表者たちが、水にかかわる問題やその解決策について議論するという場も設けられました。スペインを訪問されていた皇太子殿下（今上天皇）が「水との共存―人々の知恵と工夫―」と題し、日本人と水のかかわりについての特別講演をされ、話題となりました（この特別講演は宮内庁のホームページに掲載されています。https://www.kunaicho.go.jp/okotoba/02/koen/koen-h20az-saragossa.html）。

尚、水の論壇で出された様々な提案は、「サラゴサ憲章」として取りまとめられ国連事務総長などに提出されました。このように、サラゴサ万博は１９９４年のＢＩＥ決議「すべての万博は、地球的規模の課題の解決に貢献するものでなければならない」を実現したものとして高く評価されました。

水をテーマに行われたサラゴサ万博。　©Grez

16 大都市で行われた上海万博

2010年の上海万博は、2008年に首都で開催された北京夏季五輪に続いて、国の威信をかけて行われた初めての一般博でした。

巨大万博の実現　国際園芸博覧会[*1]しか経験していなかった中国は、最大の経済都市・上海で2010年5月1日~10月31日の6か月間に、7308万人の来場者を集め、それまで最多だった1970年の大阪万博（6421万人）を超えて史上最大（1日の平均最高入場者は100万人突破）の万博を実現。参加国は当時の国連加盟国数193のほぼすべての190（当時は親中の国民党政権であった台湾、しばらく万博に参加していなかったアメリカも参加）！　他に56の機関が参加しました。

それほど巨大な万博がテーマに掲げたのは、中国らしい「より良い都市、より良い生活」！（→P191）。なぜなら、中国を筆頭として、世界の国々でメガシティー（人口1000万人以上の大都市）が増えているからです。

上海市は超大規模な都市再開発を行い、万博開催に合わせて多くの地下鉄網が整備され、会場面積523ヘクタールの万博史上最大の会場を建設しました。

〈中華人民共和国という国〉
国名：People's Republic of China
面積：約960万平方キロメートル（日本の約26倍）
人口：約14億人
首都：北京
政体：人民民主専政
経済規模（GDP）：約18兆1000億ドル（2022年、IMF（推計値））
言語：中国語
略史：1949年成立

＊1　国際的な園芸文化の普及や花と緑のあふれる暮らし、地域・経済の創造や社会的な課題解決等への貢献を目的として開催される博覧会。1990年の大阪「国際花と緑の博覧会（花の万博）」がこれに当たる。

持続可能な都市を体現

会場では、庭園のようなフランス館、緑の森で囲まれたイメージのルクセンブルク館、そして発電可能な超軽量の薄い膜で包まれ、内部では循環式送風口といった最新技術を採用した日本館など、持続可能な都市を体現するパビリオンが目立ちました。中国のパビリオンは「都市発展における中華の智恵」というテーマの下、国内の都市の建設、管理、生活、産業の発展を誇示するかのような巨大な建物（万博終了後は「中華芸術宮」という美術館として存続）。上海の都市再開発に大きく貢献した万博でした。また、万博終了後の２０１３年、国連総会が上海万博のテーマが都市問題だったことから、終了日の10月31日を「世界都市デー」[*2]とすることを決議しました。

因みに、中国で万博を開催するというアイデアは、１９８４年に同国を訪れた日本の長期信用銀行調査団[*3]が当時の王震（ワンジェン）副首相に対して提案したものでした。

上海万博のシンボル、中国のパビリオン。　©Mercury Jin

＊2　世界の都市化に関する社会の関心を高め、都市間の協力を強化して都市化の抱える課題に取り組み、持続可能な都市開発に貢献することを目的として、２０１３年国連総会で、10月31日が世界都市デーとされた。

＊3　経済開放政策をとり始めた中華人民共和国と経済関係を深める可能性を調査するため、日本長期信用銀行（１９５２年～２０００年）が派遣した経済調査団。

17 海洋生態系を考える麗水万博

2012年の麗水（ヨス）万博（認定博→P63）も、持続可能な開発が提案されました。しかも、海に関連する資源開発技術に注目したものとなりました。

海と沿岸に関する持続可能な開発

麗水万博は、韓国にとって1993年の大田（テジョン）万博*1に次ぐ2回目の万博。朝鮮半島の南部から海に突き出した麗水半島で2012年5月12日～8月12日（3か月間）に800万人以上を集めました。対岸の日本からも多くの観光客が訪れました。参加は、104の国と10の国際機関。テーマは、海に囲まれる麗水にふさわしい「生きている海と沿岸」。海も沿岸部も、人類がどんどん開発を進めてきた結果、海洋汚染など海洋生態系への悪影響が発生。それを踏まえて、サブテーマとして「沿岸開発と保全」「新しい資源開発技術」「創造的な海洋活動」の3つが掲げられました。

麗水宣言

会場は、韓国政府が韓国の造船業や海洋開発技術などを紹介したり、韓国の企業が個々にパビリオンを設置し自社の技術をPRしたり。一方、参加した国々は、独自にパビリオンを出すのではなく、4つの共同集合施設の中

〈韓国という国〉

国名：Republic of Korea

面積：約10万平方キロメートル（日本の約4分の1）

人口：約5163万人（2022年、韓国統計庁）

首都：ソウル

政体：民主共和国

経済規模（GDP）：1兆7978億ドル（2021年、韓国銀行）

言語：韓国語

略史：1948年成立

*1　1993年に韓国の大田（テジョン）で開催された国際博覧会（特別博）。

*2　2011年3月11日、東北地方太平洋沖で起こった巨大地震とそれにともなう津波によって引き起こされた震災。

にスペースを割り当てられる形で出展。多くの国が映像を中心に自国の海の映像や観光資源を紹介しました。人気を呼んだのは、水槽の中でロボットの魚を泳がせたフランス、４Ｄ技術を駆使した映像を見せたオマーン。また、日本も森・里・海の連携など日本人の海との共生の営みを紹介。さらに前年に起きた東日本大震災[*2]に関して諸国への感謝のメッセージや津波、復興の様子も紹介し、話題となりました。

尚、この万博は、「麗水宣言」を発表。これは、海洋汚染や過剰漁獲など、海の保全と持続可能な開発が脅かされていることを認識し、これらの問題に対し、すべての政府と市民社会が力を合わせて対応するよう呼びかけるもの。麗水万博の大きな成果となりました。

麗水万博の4大特化施設のひとつエキスポデジタルギャラリーの映像。写真は、長さ218m、幅30.7mの画面に、海洋動植物と海中の風景が映し出されている。

©Republic of Korea

18 食をテーマにした2015年のミラノ万博

イタリア・ミラノでの万博開催は1906年以来2回目。食料・水・エネルギーをテーマにした登録博（→P63）として行われました。

（→P63）

サブテーマは7つ

2015年5月1日～10月31日（6か月間）ミラノ市の郊外で行われたミラノ万博は、2010年の上海万博に次ぐ登録博として開催されました。145の参加国と3つの国際機関が参加、2150万人が来場。この当時は、世界中で食料生産、食の健康、人口増加といった課題に対し、効率的な自然資源の利用を通じて対応していく必要性が高まっていた頃です。

そうした中、万博のテーマとして「地球に食料を、生命にエネルギーを」が掲げられ、その下に7つのサブテーマ（「食料の安全、保全、品質のための科学技術」「農業と生物多様性のための科学技術」「農業食物サプライチェーンの革新[*1]」「食育[*2]」「より良い生活様式のための食」「食と文化」「食の協力と開発」）が設けられました。

各国が共同出展

この万博では、米、カカオ、コーヒーなどの農産物ごとのグループと地中海、乾燥地帯など地域の特徴に焦点を当てたグループに

＊1　農作物が生産現場から消費者に運ばれる過程での品質管理や輸送システムなどの改善により、食品ロス（→P196）を削減する取り組み。

＊2　子どもたちが食に関する正しい知識と望ましい食習慣を身に付けることを目的とする教育。

分かれて各国が共同出展するといった取り組みが行われました。

もちろん万博常連の国が独自につくるパビリオンもありました。日本館では、和食や和食器などを展示。10時間待ちの大人気を博しました。次回２０２０年の登録博を予定するアラブ首長国連邦は、過去にタイムスリップした少女が砂漠の生活の厳しさを知り食料や水の大切さを学ぶという映像を１７０度スクリーンで流し、人気を呼びました。「子どもパーク」が設けられ、多くのアトラクションを通じて水やエネルギーの大切さ、持続可能性などを学べるという新企画も話題になりました。イタリア館では、国内各地の風景や食への新しい取り組みを紹介。同館の一角には「食料・水・エネルギーへの権利をすべての人と将来の世代に保障できるよう行動する」と記した「ミラノ憲章」が掲示され、要人たちが署名する形がとられ、後日、それは国連事務総長に提出されました。

「行列のできるパビリオン」として、イタリア館と並んで人気を誇った日本館。

19 中央アジアで初のアスタナ万博

2017年のアスタナ万博は、旧ソ連邦のカザフスタンで開催されました。これは、中央アジアにおける最初の万博となりました。

SDGsの目標7

アスタナ万博（認定博→P63）は、1997年に遷都したカザフスタンの新首都アスタナ市内を流れるイシム川右岸地域で、2017年6月10日～9月10日（3か月間）に遷都20周年行事として、また、「持続可能な開発のための2030アジェンダ」（→P260）が採択されてから初の万博として開催。115の国と22の国際機関が参加し、総入場者数397万人を記録しました。

テーマは、「未来のエネルギー」。これは、SDGsの目標7「エネルギーをみんなに そしてクリーンに」と結びついたもので、新しくつくられた人工都市アスタナ*1にふさわしいといわれました。

開発と環境の共存

そもそもカザフスタンは石油・天然ガスなどのエネルギー資源と鉱物資源に恵まれ、化石燃料に頼ってきた国。それだからこそ「未来のエネルギー」をテーマに掲げ、グリーンエコノミー*2への移行、エネルギー安全保障のた

〈カザフスタンという国〉

国名：Republic of Kazakhstan

面積：272万4900平方キロメートル（日本の7倍）

人口：1920万人（2022年：国連人口基金）

首都：アスタナ

政体：共和制

経済規模（GDP）：1971億ドル（2021年、IMF）

言語：カザフ語が国語（ロシア語は公用語）

略史：19世紀にロシアの支配下に入り、ロシア革命後にソ連に編入、1991年独立。

＊1　1991年に独立したカザフスタンの首都は当初のアルマトイから1997年アクモラに遷都され、翌年

めのグローバルな対話推進、代替エネルギー源[*3]の開発と利用に向けた強い意志を示すことを目的として万博を開催することに意味があったのです。そのテーマの下で「CO_2排出の削減」「エネルギーの効率的な使用」「すべての人類のためのエネルギー」の3つのサブテーマが設けられ、カザフスタンや参加各国がパビリオンを設置して様々な視点から自国のアイデアや取り組みを披露しました。

カザフスタンが、万博のシンボルとして直径80メートルの8階建てのヌル・アレムという世界最大の球体建造物を建設。フロアごとに風力や水力、ソーラーエネルギー、バイオマス等のエネルギー源を展示。各国も歩行により発電する歩道、草木が育つコンクリート、海上原子力発電所など、開発と環境の共存に関するいろいろな技術を紹介しました。

アスタナ万博の終了後、会場と周辺の新設鉄道、空港新ターミナルなどは、アスタナ市の新たな一部として活用されています。ヌル・アレムも「未来のエネルギー博物館」として毎年30万人以上が訪れる人気スポットになっているといいます。

球体建造物のヌル・アレム。　©Amanda

その名称はアスタナと改名。一時期ヌルスルタンと呼ばれていたが2022年旧称アスタナに戻った。

＊2　温暖化ガス排出などの環境問題に伴うリスクと生態系の損失を軽減しながら、人間の生活の質を改善し、社会の不平等を解消するための経済のあり方。

＊3　石油や石炭などの化石燃料に代わるエネルギー源。代表的なのは風力や太陽光など。

20 2025登録博につながるドバイ万博

ドバイ万博は2015年に次いで、2020年に登録博として行われる予定でしたが、新型コロナウイルス感染症のパンデミック[*1]により1年遅延！

中東地域初の万博

この万博は2021年10月1日から2022年3月31日まで開催されましたが、五輪の「TOKYO 2020」[*2]が2021年に行われたのと同じで、名称は変更されませんでした。参加したのは192か国と10の国際機関。中東地域で初となる万博だったので、来場者はもっと多いと期待されていましたが、マスク着用や入場時のワクチン接種証明書の提示など感染対策を徹底して実施されたこともあって、総入場者数は2410万人にとどまりました。

SDGs時代の開催

テーマは「心をつなぎ、未来を創る」（→P204）。これは、気候変動、健康・福祉、不平等や環境破壊などの地球規模の課題に対し、全人類が協力して解決策を見出そうというもの。その考えの下「流動性」「機会」「持続可能性」の3つのサブテーマが設定され、会場も3ゾーンに分けられました。しかし、そうした会場も、産業のプロモーションに力を入れたパビリオンが多

〈アラブ首長国連邦という国〉

国名：United Arab Emirates

面積：8万3600平方キロメートル（日本の約4分の1。北海道程度）

人口：約989万人（2020年：世銀）

首都：アブダビ

政体：7首長国による連邦制

経済規模（GDP）：4211億ドル（2019年：世銀）

言語：アラビア語

略史：1971年独立

＊1　多くの国、特に全世界に広がるなど、広域に蔓延する深刻な感染症が大流行する状態。現代では航空機などの交通機関が発達しているため、一度感染症が発生すると世界中

く見られ、また、ビジネスフォーラムなどのビジネスイベントが開催されるなど、ビジネス色の濃い万博に感じられたといいます。

それでも、気候変動と生物多様性、宇宙、都市と農村開発と、10の課題について世界中から有識者を集めて議論する「テーマウィーク」が行われるなど、SDGs時代真っ只中、2025年大阪・関西万博につながる万博となりました（→P216）。閉幕式ではアラブ首長国連邦からBIE（→P54）にBIE旗が返還されたのち、次の開催国・日本に渡されるセレモニーも行われました。

尚、ドバイ万博の会場跡地は2022年10月にオフィス、住宅、スポーツやレジャー、ショッピングモールなど多彩な用途を備えた複合施設「Expo City」として生まれ変わり、2023年末に開催される国連気候変動枠組条約第28回締約国会議（COP28）の会場として使われる予定です。

ドバイ万博のサブテーマの一つ、「サステナビリティ（持続可能性）」エリアのスペシャルパビリオン、Terra（テラ）の外観（→P206）。
©Amanda

で多くの感染者が同時期に発生する可能性がある。

＊2　正式には東京2020オリンピック・パラリンピック競技大会。当初2020年夏に開催予定だったが、新型コロナウイルスのため約1年延期され、2021年7月23日から8月8日まで開催。

１９３９～１９４５年　第二次世界大戦

１９５８年　ブリュッセル万国博覧会

１９６２年　シアトル万国博覧会

１９６４・５年　ニューヨーク万国博覧会

１９６７年　モントリオール万国博覧会

1969年、月面着陸成功。　©NASA

1960年代

【激動の１９６０年代】この時代には、アフリカをはじめ世界中で多くの国が独立を果たしたり、また、核兵器をめぐって世界を揺るがすような大きな出来事が起きたりした。

80ページでも記したように、１９６２年シアトル万博の真っ最中、「キューバ危機」が始まり、世界はあわや核戦争。しかし、ソ連が核兵器を撤去して、この危機は収まったが、その後間もない１９６４年（東京オリンピックとニューヨーク万博の最中）に、中国が核実験を行うなど、世界の核の脅威は、より広がると共に高まった。しかも、東側陣営の結束が崩れ始める。東欧で改革の声が上がり、中国とソ連の緊張が高まり、１９６９年には中ソの武力衝突。一方の西側諸国でも、フランスが独自の核戦力建設を開始、１９６７年には、ＮＡＴＯ軍事機構から脱退。それまでパリにあったＮＡＴＯ本部がブリュッセルにあるのはこのためだ。

国連はこうした１９６０年代を「国連開発の10年」と銘打ち、１９６４年に国連貿易開発会議（ＵＮＣＴＡＤ）、１９６６年に国連開発計画（ＵＮＤＰ）を設立。また、１９６７年には宇宙条約（↓P85）、１９６８年核兵器不拡散条約（ＮＰＴ）が署名された。そして、万博が、国際社会の平和の象徴であるかのように行われていたのだ。

もとよりアメリカは、１９６９年に人類史上初の月面着陸を果たすが、東側勢力拡張を阻止するためとして、ベトナム戦争に足を突っ込み始める。このように戦争の泥沼からなかなか抜け出せない時期が続いた。

〈１９６０年代の日本〉 この時代の日本は、１９６４年に新幹線が開通、念願の東京オリンピックを開催。ＯＥＣＤに加盟するなど着実に復興を進め、１９６８年には遂に経済規模が世界第2位となった。アジア諸国との関係を正常化し、これら諸国への援助を拡大させていった。１９６５年にはＢＩＥに加盟して、１９７０年大阪万博の開催決定を勝ち取った。

１９７０年　日本万国博覧会
１９７４年　スポーケン国際環境博覧会
１９７５年　沖縄国際海洋博覧会

1975年、30年にわたるベトナム戦争が終結。
（写真は廃棄された戦車）　©manhhai

1970年代

【環境問題がにわかに浮上した１９７０年代】

１９７０年代は、冷戦（↓Ｐ80）が小康状態に見えた時期。東側のソ連は現状の固定化を望み、西側の欧州共同体（ＥＣ）はその加盟国の拡大を進める中、安定を欲するようになった。また、アメリカは１９７２年2月訪中。台湾（中華民国）との外交関係を断って中国と国交回復。一方、北ベトナムを支援するソ連に働きかけてベトナム戦争の終結を模索。結果、ソ連を牽制しながら１９７３年にベトナム和平合意を達成、ベトナムから撤退。１９７２年にはアメリカとソ連は弾道弾迎撃ミサイル制限条約を締結。また、１９７５年、全欧安保協力会議が開かれ、デタント（緊張緩和）と呼ばれたヨーロッパでの冷戦の小康状態に入った。しかしこの時期、ソ連は同時に東欧への核ミサイル配属や太平洋艦隊増強、第三世界への介入を行い、ついに１９７９年にアフガニスタンに侵入した。

世界経済でも大変革が起こった。ベトナム戦争の負担で疲弊していたアメリカが１９７１年8月、輸入品に対する10％課徴金賦課、ドルや金の交換停止などを発表。ニクソン・ショックを起こした。また、第一次石油ショックをきっかけにして主要先進国首脳会議（現在のG7）や国際エネルギー機関（ＩＥＡ）が設立された。

〈１９７０年代の日本〉 １９７０年は、大阪万博に始まり、１９７２年には、日本もアメリカ同様中華民国との外交関係を断絶し中国と国交回復。同年5月15日、アメリカとの沖縄返還協定が発効し、沖縄の施政権が日本に返還された。１９７５・１９７６年に沖縄海洋博を開催。１９７９年には主要先進国首脳会議を初めて日本で開催した。

1982年 ノックスビル国際エネルギー博覧会
1984年 ニューオリンズ万国博覧会
1985年 筑波国際科学技術博覧会
1986年 バンクーバー世界交通博覧会
1988年 ブリスベン国際レジャー博覧会

1989年、ベルリンの壁、崩壊。 ©Paul VanDerWerf

1980年代

【1980年代の人類の課題は、エネルギー、水等々】 1980年代は、ソ連が1979年12月に侵攻したアフガニスタン紛争が泥沼化したり、第三世界の共産主義勢力支援や東ヨーロッパへの戦域核ミサイル配備を進めたりしたことに対し、アメリカが本格的に対抗した時代。西ヨーロッパへ核ミサイルを配備し、1983年には戦略防衛構想（SDI）を打ち出したのだ。ところが、冷戦の真っ只中であればソ連もそうしたアメリカに対しさらなる対抗策を講じたはず。しかし、ソ連国内の経済が悪化の一途にあり、そこへ1986年のチョルノービリ原発事故が発生。ソ連は内外の支持を失っていった。しかもフルシチョフ書記長が1982年11月に死没したのを皮切りに、高齢の指導者たちが次々に死去。1985年に登場したゴルバチョフ書記長は、国内の改革と西側との対話に舵を切った。

そうした中、ソ連黙認のまま、ポーランド、ハンガリー、東ドイツなど東ヨーロッパ諸国で続々と民主化が進行。1989年には冷戦の象徴であったベルリンの壁が崩壊。一方、アメリカとソ連は交渉を重ね、1987年に戦域核ミサイル全廃に合意、1989年、米ソ首脳が冷戦の終結を宣言した。ソ連はアフガニスタンからも撤退。しかし混迷を極めるソ連は、国内の政治・経済の立て直しができず、結果、1991年ついに崩壊。15の共和国に分裂した。

アジアでは韓国が87年に民主化、中華人民共和国は経済開放政策に転じて成長軌道に乗るが、中越武力衝突（79年、80年）、チベット独立運動弾圧（88－89年）、天安門事件（89年）などが続き、東西冷戦の終結は必ずしも東アジアに恵みをもたらすものではなかった。

国際情勢が激動する中、人類は共通の危機感を持たざるを得なかった。そのことを象徴するかのように1987年、「環境と開発に関する世界委員会」がその報告書で「持続可能な開発」という考え方を初めて打ち出した。そして万博は、国際社会の激動をよそに「エネルギーは世界の原動力」「河川の世界―水は生命の源」「人間・居住・環境と科学技術」といったテーマを掲げて5回行われたのだ。

〈1980年代の日本〉 80年代の日本は経済成長が続く中で、1986年に二度目の主要先進国首脳会議を開催。89年には昭和が終わり平成の世が始まった。

1999年、ユーロ圏誕生。 ©frankieleon

1990年 大阪国際花と緑の博覧会
1992年 セビリア万国博覧会
1992年 ジェノバ国際船と海の博覧会
1993年 テジョン万国博覧会
1998年 リスボン万国博覧会

1990年代

【明るい未来への期待が高まった1990年代】 1990年、突如イラクが隣国クウェートに軍事侵攻。アメリカ・ソ連が協調し、国連でイラクに対する非難決議や制裁決議が採択され、国連決議に基づく多国籍軍が組織された。結果、1991年イラクが撤退し、その後も国際協調が進んだ。左記は、この時代の国際協調の例。

・1991年アメリカ・ソ連両国共同主催により、イスラエルとアラブ諸国が参加する中東和平会議を開催。

・ワルシャワ条約機構が解散し、ソ連に対抗する西側の同盟NATOが加盟国を増やし、同時に旧東西両陣営の協調を目指す「平和のためのパートナーシップ」を提唱。ロシアも参加。

・アジアでは、韓国と北朝鮮の国連同時加盟、カンボジアの和平協定成立といった国際秩序の成立。

国際経済の面では、多角的貿易体制の中核を担う新たな国際機関「世界貿易機関（WTO）」が1995年に設立され、世界の経済的つながりが強化された。さらに、ヨーロッパではEUが統合を進め、1999年には通貨統合に至った。このように1990年代は冷戦も終結し、世界に自由・民主主義、国際協調の精神に基づく国際秩序と自由貿易の時代がやってきた。

しかし、その一方で、多民族国家ユーゴスラビアが分裂。北朝鮮が核・ミサイル開発を進め、中国が1995年に台湾海峡にミサイルを撃ち込んだり、1999年にはインドとパキスタンが核実験や弾道ミサイル実験を強行したりするなど、懸念すべき問題が次々に起こった。

それでも、冷戦後の人類の共通課題については、1992年に国連環境開発会議の開催、気候変動枠組条約、生物多様性条約の採択、1997年に国連環境開発特別総会の開催など、SDGs（→P246）への歩みが着実に進んでいった。

〈1990年代の日本〉 1992年に初めて国連平和維持活動に要員を派遣するなど（92年カンボジアへの派遣）、国際貢献に力を入れたが、国内では政権交代が相次ぎ、地価や株価の急落、不良債権の拡大や大手金融機関の破綻などで成長率が鈍化。オウム真理教による一連のテロ事件が続き、1995年には阪神・淡路大震災で大きな被害が出た。

2000年 ハノーバー万国博覧会
2005年 日本国際博覧会
2008年 サラゴサ国際博覧会
2010年 上海国際博覧会
2012年 麗水国際博覧会
2015年 ミラノ国際博覧会
2017年 アスタナ国際博覧会
2020年 ドバイ国際博覧会
2025年 日本国際博覧会

2030年の達成をめざすSDGsの17のテーマ。

2000年以降

【21世紀の世界】 21世紀は、1990年代に高まったより善き未来への期待が達成されず、国際秩序が揺らいでいる。

2001年9月11日、アメリカ同時多発テロ事件が発生。アメリカばかりでなく世界中が頻発するテロに悩まされる。しかもソ連を継承したロシアが、2008年にジョージア、2014年にクリミア半島とウクライナ東部に侵攻、2022年からは、ウクライナ各地を攻撃。核戦争までほのめかすようになった。1990年代にイラクのフセイン大統領の蛮行に対し協調して臨んだ国連は、ソ連の行為に対し有効な手を打てていない。

東アジアでは、近年、北朝鮮が核実験を繰り返したりミサイルを乱射したり、中国が核兵力を増強するなど、日本周辺でも国際秩序が大きく乱されている。

経済に目を転じると、世界貿易機関の自由化交渉が長い時間をかけながら終わりが見えず、開発途上国の中には過剰な債務を背負って経済が破綻寸前の国が出ている。

また2008年、アメリカの大手投資銀行の破綻を機に世界経済が混乱し、行きすぎたグローバリゼーションの危うさも露呈した。

2019年末からのコロナ禍により、世界の交流が大幅に縮小。ロシアのウクライナ侵略のせいで、エネルギーや食糧の不足が多くの人々を苦しめている。

こうした中の万博は、2000年以降既に8つ開かれた。どの万博のテーマも、水、都市、エネルギーなど、SDGsの17の目標に密接に関連している。

もとより万博は、再び緊張を増している世界情勢の中、人類共通の課題に対して国際協調が不可欠であることを実感する場となっている。より善き世界を目指す努力は、あらゆる方面で進めていかねばならないのはいうまでもないが、万博こそが人類が共通の課題を抱えていることを認識し、国際協調に基づく課題解決を図っていく絶好の場でもあるのだ。

第4章 有形・無形の万博遺産

シカゴ（アメリカ）
1933年５月27日～ 11月12日／
1934年６月1日～ 10月31日
ニューヨーク（アメリカ）
1939年４月30日～ 10月31日／
1940年５月11日～ 10月27日
モントリオール（カナダ）
1967年４月28日～ 10月29日
シアトル（アメリカ）
1962年４月21日～ 10月21日
愛知（日本）
2005年３月25日～９月25日
大阪（日本）
1970年３月15日～９月13日
大阪（日本）
2025年４月13日～ 10月13日
ポルトープランス（ハイチ）
1949年12月８日～ 1950年６月８日
●見方
開催地名（国名）
大阪（日本）
1970年３月15日～９月13日
開催期間
※日本で行われた沖縄海洋博（1975年）、つくば万博（1985年）、花の万博（1990年）は認定・特別博覧会に当たるため、ここでは紹介していません。

万博世界地図

ここでは1928年に「国際博覧会条約（BIE条約）」が採択されてから2025年の大阪・関西万博までに開催された一般及び登録博覧会（→P63）の開催地を掲載。

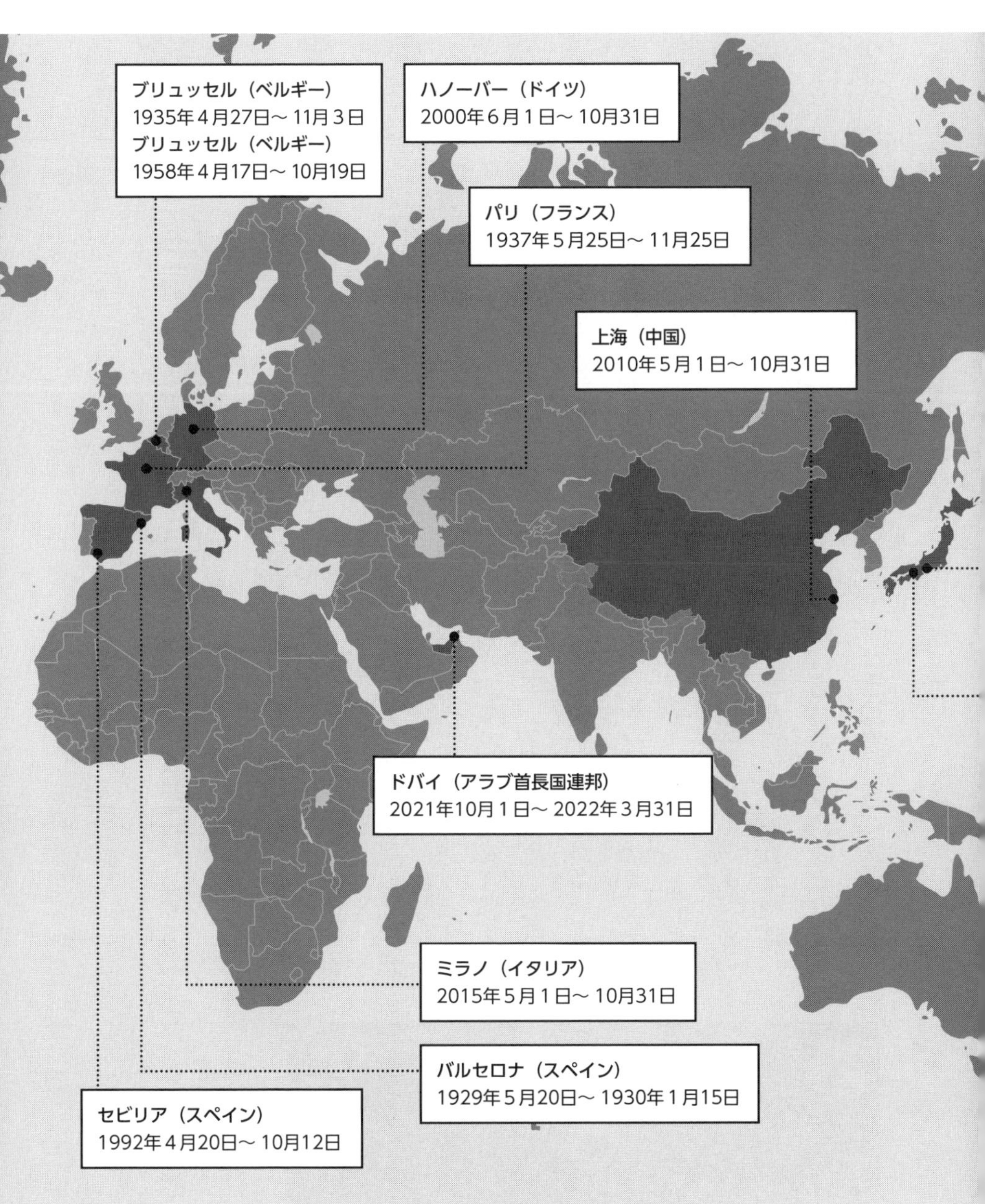

1「万博遺産」も第1回ロンドン万博から

1851年に史上初の国際的な博覧会を開催した都市ロンドンは、今でも万博の聖地をめぐる旅人にとって、魅力が一杯です。

万博遺産第1号

万博のために建設され作成される作品は、万博終了後に取り壊されるものも、長らく存続するものもあります。そもそも短期間使用を前提としてつくられたものは、材料や工法の耐久性などの安全を考慮して取り壊さなければなりません。一方、万博後に残される場合は、公園、見本市会場、記念碑、観光スポット、博物館や大学、あるいは新しい都市などに姿を変えることが多いようです。このような「有形の遺産」に加えて、万博で披露されたアイデアなどが、いわば「無形の遺産」として将来まで影響を残すこともあります。

現在もロンドンの真ん中にある巨大な公園ハイドパーク。[*1] この公園が、初めての万博の開催地でした。ここに建てられたクリスタル・パレス（水晶宮）という建物は、当時では珍しい鉄とガラスでつくられた斬新なデザインで、万博のシンボルとなりました（→P30）。この水晶宮こそ、いわば「万博遺産」の第1号なのです。万博後は、

©Jorge Láscar

＊1　ロンドン市内にある王立公園の一つ。面積約140万キロ平方メートルで、ロンドン市内最大級の広さ。

ロンドン南郊のシデナムに移設されたのですが、1936年に火災で焼失してしまいました。しかし水晶宮は不滅でした。なぜなら「水晶宮」の名称をつけたプレミア・リーグのサッカーチーム「クリスタル・パレスFC」[*2]が、シデナム地域を地元として活躍してきたからです。そう考えると、このチームも万博遺産の一つといえるかもしれません。

今も残る多くの文化的施設

1851年の万博は、当時のヴィクトリア女王の夫君・アルバート公[*3]が考案し、推進して実現したもの。君主でもないアルバート公ですから、政府資金に頼ることが叶わず、その万博は、すべての費用を寄付と入場料等による収入などで賄ったのですが、約600万人の入場者、18万ポンド以上の収益を得ることができました。

結果、その収益により、ロンドンにいくつもの建物が建設されます。そして現在に至るロンドンを代表する文化的施設として活躍しているのです。

次のページで紹介するのは、いずれも第1回ロンドン万博の収益から生まれたハイドパークの南に位置する重要施設です。

＊2　ロンドン南部をホームとする、イングランド・プロサッカーリーグ（プレミアリーグ）に加盟するプロのサッカークラブ。1905年創設。

＊3　イギリスのビクトリア女王の夫。ドイツのザクセン・コーブルク家出身で、1840年ビクトリアと結婚。1819年〜1861年。

ロンドンのハイド・パーク周辺地図

ヴィクトリア&アルバート・ミュージアム

ヴィクトリア&アルバート・ミュージアムは、ロンドン万博後、万博の展示品などを陳列する産業博物館として開館し、装飾美術館、サウス・ケンジントン博物館など名称変更を経て、1899年にヴィクトリア&アルバート・ミュージアムという現在の名称となった。20世紀初頭には、現在の建物が竣工。絵画、彫刻、写真、ガラス工芸品、金属製品、陶磁器、宝石・貴金属、建築関連などが主な展示品で、日本の江戸・明治期の美術品展示も見どころになっている。

天文学、気象学、生化学、電磁気学、航海学、航空学と写真術の展示が見られる博物館。ガリレオ・ガリレイの望遠鏡、ジョージ・アダムスの顕微鏡、世界最初の蒸気機関車、グラハム・ベルのつくった世界初の電話や、旧型ロールス・ロイスなど歴史を感じさせるものの他、1969年に人類が月に最初に降り立った時の着陸船のレプリカなどが人気。 ©Geni

アルバート公の名そのものが名称になっているホール。クラシックからポップスまでの音楽や、ファッション・ショー、スポーツ・イベントなどの会場として使われてきた。1991年に日本の大相撲公演が行われた。 ©Colin

2 万博の聖地パリの旅

万博の遺産をめぐるというのは楽しいもの。特に、19世紀だけでも5回の万博が開催され、万博にかかわる多くのものが残されているパリは！

いわば万博遺産の聖地

ここでは、パリに残る主な万博遺跡を紹介します。

尚、ここに紹介するパリの「万博遺産」はいずれもセーヌ川周辺にあります。ルーブル美術館[*1]やノートルダム寺院[*2]とともに、この一帯は1991年にユネスコ世界遺産に登録されました。いわば万博遺産が世界遺産にも指定されたことになるといえるでしょう。

＊1　パリ市内を流れるセーヌ川沿いにある世界最大級の国立美術館。1793年に諸芸術中央美術館として開館。「ミロのビーナス」や「モナリザ」をはじめとする数々の名作を所蔵。

＊2　パリ市内を流れるセーヌ川に浮かぶシテ島にある、ゴシック様式のカトリック寺院。1345年に完成。2019年火災により大きく損傷したが、現在修復作業中。

エッフェル塔

高さ約300mのエッフェル塔は、1889年、フランス革命100周年を記念したパリ万博の際に建てられた。当時は世界一高い建物で、万博期間中だけで200万人以上が登った。当初は20年後に解体される予定だったが、電波塔として使われることになったために存続。 ©Benh LIEU SONG

セーヌ川とルーブル美術館

パリの中心部を流れるセーヌ川。その周辺一帯が世界遺産となっている。
©Patrick Nouhailler

シャイヨー宮

シャイヨー宮は、1937年のパリ万博の機会に（1878年パリ万博でつくられたトロカデロ宮を取り壊して）新築された。セーヌ川をはさんでエッフェル塔が見える絶景の観光スポット。現在は海洋博物館、人類博物館、建築・文化財博物館の3つの博物館とシャイヨー宮国立劇場が入っている。また、貴重な無形の遺産も残した場所で、1878年パリ万博の機会には著作権の保護に関する会議が（シャイヨー宮の前身の）トロカデロ宮で開かれ、その後の著作権保護条約締結のきっかけをつくった。1948年に第3回国連総会が行われ（ニューヨークの国連ビルは当時なかった）、世界人権宣言が採択されたのはこのシャイヨー宮。

クロード・モネの睡蓮

フランス印象派画家モネは、その一連の睡蓮の絵で有名だが、これも万博のおかげで誕生した作品だといえる。1878年万博で前述のトロカデロ宮の庭園に当時珍しかった色とりどりの睡蓮が展示されていたのに魅了されたモネが、これを大量に購入して自宅で育てた。今に残る多くの睡蓮の絵はそこで描かれた作品。

グラン・パレは現在、ファッション・ショーや様々な展示会が行われる大規模な展示会場の他、国立グラン・パレ美術館と科学技術博物館として使われている。元々は1900年のパリ万博のためにつくられた。 ©sanchezn

グラン・パレの向かいにあるプティ・パレも、現在パリ市立プティ・パレ美術館となっているが、こちらも1900年パリ万博のために建てられたもの。

©Calips

パリには多くの美術館があるが、中でもオルセー美術館は、モネの他ルノワール、マネ、ゴッホ、ゴーギャンなどの印象派やポスト印象派の展示で有名。オルセー美術館は、もともと1900年のパリ万博に合わせて建設されたオルセー駅の鉄道駅舎兼ホテル。一時は取り壊しも予定されたが、1986年、駅舎だった当時の面影を残しつつ改修され、現在の美術館になった。 ©Benh

3 サックスの発明と万博

サックスという楽器が世界に広まったきっかけは、初めての万博であった第1回ロンドン万博にありました。

サックスは、ジャズ、ポップス、ブラスバンド、クラシックなど幅広い音楽のジャンルで使われる楽器です。

製作者名が楽器名

サックスを発明したのはベルギーのアドルフ・サックス[*1]という楽器製作者。発明者の名前がそのまま楽器名になったのは珍しい例です。

彼は1846年にこの楽器の特許をとり、1851年のロンドン万博に出品して受賞。この万博で審査員の一人であった作曲家のベルリオーズ[*2]が高く評価したといわれています。さらに1867年パリ万博では、グランプリを受賞しました。その後、フランス軍が軍楽隊用に採用したこともあって、サックスは世界に広まり、20世紀に入ってから特にジャズ人気とともにさらにジャンルが増えていきました。

＊1　ベルギーの楽器製造者。ブリュッセルで楽器製作を学んだ後、パリに移住。サックスの他バスクラリネットなども設計。1814年～1894年。

＊2　フランスのロマン派音楽の作曲家。幻想交響曲、死者のための大ミサ曲（レクイエム）などを作曲。1803年～1869年。

ワンポイント情報

サックスの種類

現在サックスというと、音程の低い方からバス、バリトン、テナー、アルト、ソプラノ、ソプラニーノの6種類が知られているが、元々アドルフ・サックスは14種類も開発していた。ところで、今ではバリトンからソプラノまで1本でカバーできるデジタル・サックスが開発されていることを知ったら、かのアドルフ・サックスもさぞかし驚くだろう。

アドルフ・サックス。

4　1855年のパリ万博の遺産・ボルドーワインの格付け

フランスワインのブランド力の一つが、万博で生まれたボルドーワインの格付けによるものです。

ナポレオン3世の発案

フランス第二共和政の大統領ナポレオン3世[*1]（在任1848年〜1852年、1852年〜1870年はフランス第二帝政の皇帝）は、1855年にパリで万博が行われる際に生産量が多く海外に輸出されていたフランス南西部の港町ボルドー地方[*2]のワインの中でも特に良質のワインとして知られていたメドック地区のワインを格付けするように命じました。まもなくして、57（現在61）のシャトー[*3]のワインが、第1級から第5級までに格付けされました。

高級ワイン

第1級は、シャトー・ラフィット・ロートシルト、シャトー・ラトゥール、シャトー・マルゴー、シャトー・オーブリオンの4つ（1973年にシャトー・ムートン・ロートシルトが昇格、現在5）。ところがフランスは、ボルドーの他にも素晴らしいワインをつくる地方がたくさんあります。ブルゴーニュ、

*1　フランス第一帝政の皇帝ナポレオン・ボナパルトの甥。↓P35脚注

*2　ボルドーはフランス南西部の中心的な都市で、ガロンヌ川に面した港町。東に広がる一帯はワインの名産地が広がり、ボルドーワインは格の高い良質のワインとして知られる。

*3　「シャトー」は一般には城や大邸宅を意味するが、ワイン用語としては、主にボルドー地方で、ブドウ畑を所有し、ブドウの栽培、醸造、瓶詰までを行う生産者のこと。

*4　ワインエキスパートは、一般社団法人日本ソムリエ協会が認定する資格で、正式名称はJ.S.A.ワインエキスパート。ワイン

コート・デュ・ローヌ、プロヴァンスなどは、日本でもよく聞かれます。しかし、ナポレオン3世の発案により格付けされたことから、その格付けリストに載るシャトーのワインだけは、極めて高級なブランドとして世界に広まったのです。

ボルドーワインは、今でも日本でも大人気。日本ソムリエ協会が主催するワイン検定[*4]でレベルの高いエキスパート・クラスを受験するには、61シャトーをすべて覚えることが求められるほどに権威あるワインとされています。

並べられた上質なボルドーワイン。　©filtran

ワンポイント情報

万博とワイン

1851年の第1回ロンドン万博以降の4回の万博は、イギリスとフランスによって交互に開催された。そのため、イギリスもフランスワインの格付けに貢献したことになる。逆にボルドーワインの格付けが、万博を世界に広めるのに貢献したともいえる。

*4 検定は毎年7～8月に一次試験、10月に二次試験が行われ、合格すれば資格が認定される。

5　1867年のパリ万博から生まれた日赤

誕生後わずか3年で万博に参加した国際赤十字を知ったことがきっかけとなって、日本赤十字社（日赤）が生まれました。

国際赤十字

「国際赤十字」[*1]が始まったきっかけは、19世紀後半のイタリアでした。当時のイタリアでは、統一戦争[*2]が繰り広げられていました。その戦いの中、1859年に激戦地ソルフェリーノで負傷者の救護活動に当たっていたスイスの実業家アンリー・デュナン[*3]が、「戦時負傷者は、敵味方の区別なくすべて救護をするべきだ」と考え、赤十字運動を始めました。そして、運動を広めるためには、国際条約と国際的な救護団体が必要だと訴えるようになります。

まもなくデュナンに共感した国々が、ジュネーブ条約[*4]を締結。国際赤十字組織が誕生。1864年のことでしたが、その3年後の1867年には、パリ万博にパビリオンを出展するほど急成長しました。

日赤の誕生

そのパリ万博には、日本人も参加していました（→P35）。その中に緒方洪庵から医術を学んだ佐賀藩士・佐野常民（さのつねたみ）がいました。佐野は「敵

＊1　世界中で戦争・紛争犠牲者の救援、災害被災者の救援、医療・保健・社会福祉事業などを行う運動。各国の赤十字・赤新月社などの機関が互いに協力しながら実施。

＊2　イタリア全土の統一を目指すサルデーニャ王国とオーストリアとの間の戦争。戦争の結果1861年にサルデーニャ王を君主とするイタリア王国が成立。

＊3　スイスの実業家（1828年～1910年）。国際赤十字運動の創設に貢献。ソルフェリーノの戦い後にその経験と傷病者救護のための中立的民間国際機構創設の必要を述べた「ソルフェリーノの思い出」を出版し国際赤十字

味方の区別なく救う」という国際赤十字組織の精神に感動して帰国。そして、1877年の西南戦争[*5]の悲惨な状況に心を痛め、「博愛社」を設立して、官軍・薩摩軍双方の傷病兵救護に当たりました。その後、日本が1886年にジュネーブ条約に加入すると、博愛社は1887年に「日本赤十字社」と改称。その後、病院での医療の他、社会福祉、災害救護等、条約に則って様々な事業を行ってきました。

日赤ができるきっかけは、1867年のパリ万博だったのです。

日本赤十字社の本部（1910年）。

ワンポイント情報

佐野常民（さの　つねたみ）

1822年に佐賀藩士の五男として生まれ、9歳のときに藩医である佐野家の養子となり、学才を発揮。その後、大阪や江戸で緒方洪庵らの門弟となって蘭学、医学などの学識を広めた。頭脳明晰で努力家だった常民の勉強ぶりは、のちに長崎海軍伝習所で共に学んだ勝海舟が驚嘆するほどだったという。

運動の創設に貢献。1901年ノーベル平和賞受賞。

＊4　1864年スイスのジュネーブで、16か国の会議が開かれ、戦地における戦傷病兵の救護及びその救護者の中立性保護を規定した条約を作成し、国際赤十字の結成と活動の基礎となった。

＊5　1877年鹿児島の士族が、西郷隆盛を擁して起こした反政府内戦。激戦の末、明治新政府が平定。

6 タイムカプセルと万博

タイムカプセルは、ある時代を象徴する物などを容器に入れて地中などに保存。未来の人に開けてもらうもの。1876年のアメリカ・フィラデルフィア万博で埋められました。

1世紀金庫

大切なものを後世のために残したり隠したりしておくことは大昔から行われていたようですが、現代のタイムカプセルというアイデアが最初に実行されたのは、アメリカ建国100周年を記念して開催された1876年のフィラデルフィア万博（→P65）です。しかし、その時には、100年後に開封する計画であることから、「Century Safe 100（センチュリー・セーフ100年＝1世紀金庫）」と名付けられました。ペンやインクスタンド、大統領をはじめとする要人たちの写真、政府職員名簿などが、高さ約1・5mの鉄製の箱に収められ、首都ワシントンD.C.の連邦議会議事堂地下に埋められました（予定どおり100年後の1976年には、当時のフォード大統領も出席して盛大に開封式典が開かれた）。

開封は5000年後

これをきっかけとしてタイムカプセルの埋設は、多くの万博で行われてきました。中でも有名なのが、1939年：1940年に開催されたアメリカニューヨーク万博[*1]です。初めて「タイムカプセル」と命名された約218センチメートルのロケット型カプセルが、5000年後の西暦6939年の開封を予定して埋められました。そのカプセルの中には、百科事典のマイクロフィルム、紙幣、電気カミソリなどが収められました。

また、1970年の大阪万博（→P166）でも、同じく5000年後（6970年）に開封すべく2つのタイムカプセルが大阪城公園に埋設されました。一つは2000年に一度開封された後100年毎に点検、もう一つは5000年間未開封の予定です。地図、映画、落語などの録音、未来へのメッセージなど2000点以上が収納されています。

尚、学校などでも記念の品を皆で一緒に埋めることもあります。将来の自分や大切な人に宛てて手紙を書き、未来のある日に届けられる「タイムカプセル郵便」というサービスもあります。そうしたロマンも、実は万博から広がった遺産といえるかもしれません。

大阪万博（1970年）のタイムカプセルは、大阪城公園の地下に埋められている。
©PlusMinus

＊1　1939年4月30日～10月31日、1940年5月11日～10月27日までの2回にわけて開催された万博。正式名称はNew York World's fair 1939-1940。会期中の1939年9月に第二次世界大戦が開始。

7 シカゴ万博で始まった野球のオールスターゲーム

１９３３年7月6日、「ゲーム・オブ・ザ・センチュリー」と呼ばれる大リーグの試合が、当時開催中のシカゴ万博の記念イベントとして行われました。

万博の宣伝？

日本の夏を彩るプロ野球オールスターゲームは、１９５１年からセントラルリーグとパシフィックリーグの間で行われていますが、その発祥の地は大リーグです。アメリカのプロ野球も2リーグ制（アメリカンリーグとナショナルリーグ）で、それぞれのチャンピオンがワールドシリーズで対戦。このため両リーグの選手同士は滅多に対戦する機会がありませんでした。

そうした中で、両リーグの代表選手たちを集めて試合をする「Game of the Century（ゲーム・オブ・ザ・センチュリー＝世紀のゲーム）」が、シカゴ万博（１９３３年5月27日から11月12日・１９３４年6月1日から10月31日）の開催中に初めて行われました。万博を宣伝するためでもありました。

この試合は、シカゴのコミスキー・パークで行われました。

90年続く人気ゲームに

それは、ある少年が「アメリカンリーグ（ヤンキース）の

＊1　アメリカのプロ野球選手。本名ジョージ・ハーマン・ルース・ジュニア。投手兼強打者として有名。12回にわたり本塁打王。ボストン・レッドソックス、ニューヨーク・ヤンキース、ボストン・ブレーブスで活躍。１８９５～１９４８年。

＊2　アメリカのプロ野球選手。本名カール・オーウェン・ハッベル。上投げ、横投げを駆使する投手。ニューヨーク・ジャイアンツで活躍。１９０３～１９８８年。

＊3　アメリカ中西部シカゴを本社とする日刊紙。１８４７年創刊。

＊4　アメリカのプロ野球選手。本名ヘンリー・ルイス・ゲーリッグ。ニューヨーク・ヤンキースで、

ベーブ・ルース[*1]がナショナルリーグ（ジャイアンツ）の投手ハッベル[*2]の球を打つところが見たい」とシカゴ・トリビューン紙[*3]に投書したことがきっかけといわれています。この話の真偽は不明ですが、多くの野球ファンが同じ思いであったことは間違いないでしょう。ルース（打者として参加）もハッベルも、そしてルー・ゲーリッグ[*4]やレフティ・ゴメス[*5]（ともにヤンキース）、ビル・テリー[*6]（ジャイアンツ）などの名選手が参加し、５万人近い観衆を集める大盛況。

「ゲーム・オブ・ザ・センチュリー」は、１回限りの予定だったのですが、あまりの人気ぶりに、その後、アメリカでは、毎年７月に行われてきました。２０２０年は、新型コロナウイルス感染拡大のため中止されましたが、それは、第二次世界大戦中の１９４５年以来のことでした。

ヤンキース時代のベーブ・ルース。童顔だったことから、赤ん坊を指す“ベーブ”の愛称が付いたという。

©Irwin, La Broad, & Pudlin.

4番打者として3番ベーブ・ルースとともに100万ドル打線と呼ばれた強打者。1903〜1941年。

＊5　アメリカのプロ野球選手。本名バーノン・ルイ・ゴメス。投手として、サンフランシスコ・シールズ、ニューヨーク・ヤンキーズ、ワシントン・セネターズで活躍。1908年〜1989年。

＊6　アメリカのプロ野球選手。本名ウィリアム・ハロルド・テリー。ニューヨーク・ジャイアンツで活躍した強打者で、ナショナルリーグにおける最後の4割打者。1898年〜1989年。

8 万博出展のためにつくられた『ゲルニカ』

1937年パリ万博（5月25日～11月25日）のスペイン館に展示されたピカソの『ゲルニカ』は、スペイン北部バスク地方の町の名前です。

爆撃への怒りを込めて

パリ万博の開始1か月前の4月26日、ドイツ軍が空襲でゲルニカの町を破壊。その当時のスペインは、人民戦線政府と反乱軍が内戦状態（スペイン内戦）にありました。そんな中で、人民戦線政府が、パリに住み政治思想の近いピカソ[*1]（スペイン生まれ）に、パリ万博出展用の絵を描くよう依頼。ピカソがそれに応じて急ぎ『ゲルニカ』を描き上げました。

爆撃の悲惨さとドイツへの怒りを表現したとされるその絵は、縦349×横777センチメートルの巨大なもの。

その万博のテーマは「現代生活の中の美術と技術」でしたが、ドイツ館とソ連館は、50メートルほどの高い建物で「覇を唱え威を誇る」よう。ドイツ館の隣に建つ平屋のスペイン館のエントランスホールに『ゲルニカ』は展示されました。

＊1　スペインの画家・彫刻家。本名パブロ・ルイス・ピカソ。主にフランスで創作活動に従事。キュビズムの創始者と言われる。1881年～1973年。

＊2　フランシスコ・フランコ。スペインの軍人、政治家。1936年に反政府クーデターを起こし、39年にスペイン内戦に勝利。以後終身国家元首として君臨。1892～1975年。

パリ万博が終わった2年後、スペイン内戦は集結（1939年4月1日）。反乱軍の勝利でした。その後、スペインはフランコ将軍[*2]の独裁体制となります。そして9月1日、ドイツがポーランドに侵攻、第二次世界大戦勃発。

置かれるべき場所

『ゲルニカ』は第二次世界大戦の戦禍を逃れるため、アメリカのニューヨーク近代美術館に置かれ、長い間スペインに戻りませんでした。ピカソ自身がフランコ政権の下へは戻さないと言明していたのです。

1975年フランコが死去。1981年『ゲルニカ』はようやくスペインに戻りました。その際、首都マドリード、ピカソの出生地マラガ、青年期を過ごしたバルセロナ、バスク地方などが受け入れを強く希望しましたが、首都のプラド美術館に腰を下ろした後、近現代の美術作品を展示するソフィア王妃芸術センターに移されました。しかし、今でもゲルニカの「置かれるべき場所」については、様々な意見が出されています。

このように『ゲルニカ』という万博の遺産は、誕生から政治の荒波にもまれたものだったのです。

ソフィア王妃芸術センターに展示されている『ゲルニカ』。

9 滋賀県の「安土城天主」は、セビリア万博生まれ

1992年のスペイン・セビリア万博（4月20日～10月12日）の日本館に展示された安土城天主（あづちじょうてんしゅ）は、その後、日本に持ち帰られました。

安土城の復元

日本がセビリア万博の日本館（↓P107）建設を計画する際、日本文化を伝えるために安土城を復元するといった、とんでもなく壮大なアイデアが出されたといいます。

なぜなら、安土城は1579年に織田信長の命によって建築された世界で初めての木造高層建築で、日本でキリスト教を布教していたイエズス会の宣教師ルイス・フロイス[*1]が驚愕したもの。築城後3年で、火事で焼失し「幻の名城」と呼ばれていたからです。

さすがに巨大な城のすべてをつくり直すことはできませんでしたが、安土城天主（天守）の中でも特に美しかったとされる最上階の5階と6階部分が、セビリア万博の日本館の中でメインの展示物とされ、復元されました。その天主は、樹齢200年の檜材が使用され、狩野永徳（かのうえいとく）[*2]の障壁画が再現され、人気を集めました。

＊1　ポルトガル出身でキリスト教イエズス会の神父。日本の戦国時代にキリスト教布教のため来日。「日本史」を著述。

＊2　桃山時代を代表する画家（1543～1590年）。織田信長の安土城、豊臣秀吉の大坂城と聚楽第、正親町院御所など、著名な建築物を飾る障壁画の作者。

万博終了後、解体されて日本に持ち帰られ、現在は、滋賀県近江八幡市の総合文化施設「安土文芸の郷（さと）」の中で再復元されて、「安土城天主　信長の館」として展示・公開されています。

尚、信長の館では、新たに当時の瓦を再現した瓦屋根、天人の飛ぶ様を描いた天井、金箔10万枚を使用した外壁、金箔の鯱（しゃち）を載せた大屋根等を取り付け、一層豪華な姿になっています。

新たに復元された安土城の最上部５階と６階。安土城天主　信長の館：内藤 昌 復元 近江八幡市蔵

10 バカラもエルメスも万博から

こういった各国の産品、商品の中には、万博への出品を契機として爆発的にヒットし、今日に至る世界的ブランドになっているものがたくさんあります。

万博は見本市だった

19世紀中頃の万博はどこも産業見本市の意味合いが強く、各国とも自国の産品を出展してプロモーションする機会として万博会場を利用していました。146ページで見たボルドーワインの格付けもフランスが自国産ワインを世界に広めるためにパリ万博を利用したものです。

1867年のパリ万博に初めて参加した日本は、浮世絵、銀細工、磁器、水晶細工等の他、薩摩藩は焼酎なども出展。[*1] これも世界に日本の産品を紹介する目的でした。159〜161ページは、万博から広がった物の例です。

＊1　ほかにも大型出品物として、1300坪ほどの敷地に神社と日本庭園をつくり、白木の鳥居、奥に神殿、神楽堂や反り橋を配置。産業館には名古屋城の金鯱、鎌倉大仏の模型、高さ4メートルほどの東京谷中天王寺五重塔模型や直径2メートルの大太鼓、直径4メートルの浪に竜を描いた提灯なども出品。神社や日本庭園は大いに評判を呼んだ。

バカラ

1764年からフランスのバカラ村でガラスを製造し、特にクリスタルガラスで有名なバカラは1855年のパリ万博でシャンデリアをはじめ数百点のガラス製品を出展してグランプリを獲得し、著名ブランドとなった。その後も1867年、1878年のパリ万博にも出展、1925年のパリ万博（現代装飾美術・産業美術国際博覧会）ではクリストフル（→P160）とバカラが共同パビリオンまで設けた。

1855年パリ万博でのシャンデリア展示場。

1867年パリ万博でのクリスタルガラス製品展示場。

クリストフル

クリストフルは1830年からフランスで銀食器を中心とするテーブルウェアを製造していたが、1855年のパリ万博でナポレオン3世が1200人分の銀食器を同社に注文、さらにグランプリを獲得したのが世界への道の第一歩だった。

1855年パリ万博での銀食器展示場。

1867年パリ万博での銀細工展示場。

ティファニー

現在、アメリカの高級ジュエリーブランドとして知られるティファニーは、1876年にフィラデルフィア万博で銀器部門の特別金賞を受賞し、1878年パリ万博において同部門でグラン・プリ、ジュエリー部門でも金賞を受賞。アメリカだけではなくヨーロッパにおいてもその名を広めることとなった。

1876年フィラデルフィア万博での宝飾品。

エルメス

1837年に設立されたエルメスは、当初は馬具の工房で、万博デビューも1867年パリ万博に出展した女性用の鞍が銀賞、1878年の万博で金賞をとったことだった。その後、馬具の技術を生かしたバッグ、ベルトなどの皮革製品、さらにアクセサリー、香水、ジュエリー、時計、プレタポルテなどジャンルを広げ、一流ブランドになっていった。

ヘレンド

1826年にハンガリーで生まれた磁器ヘレンドの世界デビューは1851年のロンドン万博。ヴィクトリア女王がヘレンドのディナーセットを購入、1867年のパリ万博ではナポレオン３世の皇妃もセットを購入して、一躍世界的なブランドになった。

ウェッジウッド

イギリスの陶磁器の先駆者、ウェッジウッド。創立は1759年。1766年には「女王の陶器」として王室御用達となり、その評判がヨーロッパを超え世界へと広まった。1851年ロンドン万博では大きな花瓶（ジャスパーウエアとよばれるラベンダー色の陶器）を展示。1867年のパリ万博では金メダルを受賞し、創始者であるジョサイアは「英国陶工の父」と讃えられている。

ルイ・ヴィトン

1854年パリで旅行鞄の店から始まったルイ・ヴィトンは、1867年パリ万博で出展した鞄が同賞を受賞して世界的な評判を獲得。その後はロシアのニコライ皇太子やスペインのアルフォンソ12世王の注文を受けてさらに名声を高めた他、1893年シカゴ万博や1900年のパリ万博に出展するなど、万博と共に事業を拡大していった。

ミントン

イギリス中南部の窯業地で18世紀末から操業を始めたミントン。1851年ロンドン万博で「デザート・サービス・セット」を出展。「評議員メダル（事実上の銅賞）」を獲得するほか、ヴィクトリア女王から「世界で最も美しいボーンチャイナ」との賛辞を受け、その後、英国王室御用達となり、世界に認められるブランドへと成長した。

ジノリ

1735年、ドイツのマイセン窯に匹敵するものをイタリアにもつくりたいと土や発色の研究をし、イタリア初となる白磁を完成。研究を重ねてさらに白さを増した磁器は「トスカーナの白い肌」と絶賛され不動のブランドへ。1851年ロンドン万博では「メディチのベース」と称される美しい作品が出品され、話題を呼んだ。

ブレイクタイム

万博テーマクイズ②

答え→P164

ここでは万博テーマクイズ①に続き、クイズを楽しみながら第5章「日本で開かれた5つの万博」へ進む準備をしていただきます。

問い

A群①から⑥は日本で開催された万博の名称です。B群㋐から㋕が開催年と開催都市名で、C群ⓐからⓕは、万博のテーマです。どの万博が、いつ・どの都市で行われ、テーマは何か、3つを結びつけてください。答えの例に挙げているのは2025年開催が決まっている万博です。

答えの例：①2025年日本国際博覧会 ---- ㋕2025年／大阪 ---- ⓔ「いのち輝く未来社会のデザイン」

ヒント：①〜⑥は開催都市の場所

①
③
⑤
②
⑥
④

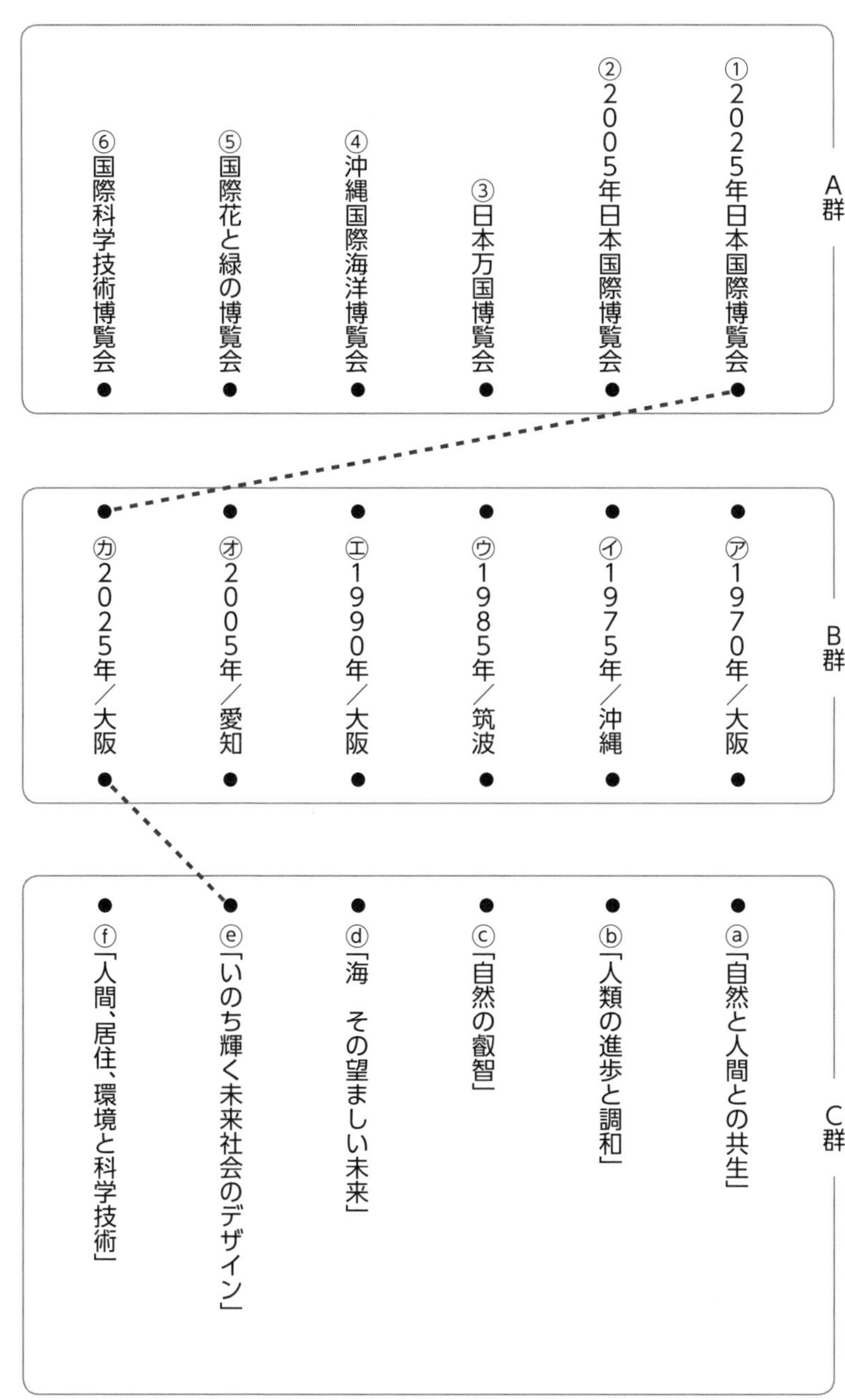
A群
①2025年日本国際博覧会
②2005年日本国際博覧会
③日本万国博覧会
④沖縄国際海洋博覧会
⑤国際花と緑の博覧会
⑥国際科学技術博覧会
B群
㋐1970年／大阪
㋑1975年／沖縄
㋒1985年／筑波
㋓1990年／大阪
㋔2005年／愛知
㋕2025年／大阪
C群
ⓐ「自然と人間との共生」
ⓑ「人類の進歩と調和」
ⓒ「自然の叡智」
ⓓ「海　その望ましい未来」
ⓔ「いのち輝く未来社会のデザイン」
ⓕ「人間、居住、環境と科学技術」

万博テーマクイズ②・答え

A群	B群	C群
②	㋔	ⓒ
③	㋐	ⓑ
④	㋑	ⓓ
⑤	㋓	ⓐ
⑥	㋒	ⓕ

第5章

日本で開かれた5つの万博

1　1970年の大阪万博とその影響

日本は、東京オリンピックの翌年の1965年にBIE条約に加盟（→P56）。1970年には、大阪で初めての万博を開催します。

シンボルタワー 太陽の塔

日本で初めて開催された万博の正式名は、「日本万国博覧会」（英語名：Japan World Exposition Osaka 1970）。日本がBIE条約に加盟したのは1965年2月ですから、半年ほどで万博開催が正式決定されたことになります。高度成長期にあった日本は、万博を開催する前提でのBIE条約加盟。まもなく「日本万国博覧会協会[*1]」を創設し、本格的な準備を開始。日本中に万博のテーマソングが響き、全国的にお祭りムードが高まります。1968年の「第十九回NHK紅白歌合戦」では坂本九が、万博のテーマソングを歌いました。

1970年3月14日午前11時、日本中が大阪万博への期待に包まれる中、大阪万博がついに開幕。テーマは「人類の進歩と調和」。「進歩」と「調和」との共存が困難にも思える願いを標榜し、高い理想を追求したのです。建築家・丹下健三氏が設計したお祭り広場の中心にそびえる「太陽の塔[*2]」は、大阪万博の輝かしいシンボル。開会式

＊1　1970年の大阪万博を実施する主体として、1965年に発足した財団法人。会長は経団連会長の石坂泰三氏。

＊2　芸術家・岡本太郎氏のデザインによる。塔の頂部には金色に輝く未来を表す「黄金の顔」、正面には現在を表す「太陽の顔」、背面には過去を表す「黒い太陽」が施され、過去・現在・未来を貫いて生成する万物のエネルギーを象徴。

©Kanesue

の感動が衛星テレビ中継で全世界に届けられました。

「月の石」に大行列

かつて、1958年、ベルギーのブリュッセル万博（→P76）で、ソ連が人工衛星スプートニクを展示したように、アメリカがアポロ宇宙船が持ち帰った「月の石」[*3]を展示。アメリカのパビリオンには毎日数時間待ちの長蛇の行列ができました。先にブリュッセル万博ではスプートニクがその後の人類の歴史に影を落としたと記しましたが、大阪万博では、超人気の「月の石」は、その反対で光明となりました。それは、万博の前に宇宙条約が結ばれ（→P85）、後の

ワンポイント情報

万博のテーマソング

1966年、毎日新聞が大阪万博のテーマソングを公募。1万3000曲の応募のなかから選ばれたのが『世界の国からこんにちは』（作詞：島田陽子、作曲：中村八大）だった。歌手には、当時隆盛だった8つのレコード会社が、それぞれ一番の人気歌手を推薦。叶修二（日本グラモフォン）、西郷輝彦・倍賞美津子（日本クラウン）、坂本九（東芝音楽工業）、弘田三枝子（日本コロムビア）、ボニージャックス（キングレコード）、三波春夫（テイチク）、山本リンダ（ミノルフォン）、吉永小百合（日本ビクター）と、当時の人気歌手ばかりで、その競演が大いに話題となった。

各社から発売されたレコードの数々。

＊3 人類初の有人月面着陸を果たしたアメリカが、宇宙船の着陸点で採集し持ち帰ってきた岩石。待ち時間3時間は当たり前だったという。

©NASA

1975年にはアポロ宇宙船とソ連のソユーズ宇宙船のドッキング。[*4] 人類は調和をとりながら進歩していくことを求めたのです。こうして183日の間に6421万8770人（当時の人口、約1億340万人）を動員した大阪万博は、9月13日に大成功裏に幕を閉じました。

回転ずし

大阪万博の小さな出店の一つに回転ずしがあった。1958年、大阪でベルトコンベアの上に小皿にのせたすしを運ぶ「廻る元禄寿司」が開店。これは元禄産業の創設者である白石義明（しらいしよしあき）氏がビール工場のビールを運ぶベルトコンベアにヒントを得たものだった。白石が万博会場に持ち込むと、にわかに注目された。それまで高級だったすし文化が、大衆文化となったのだ。その後、現在の回転ずしに発展した。海外では、1990年代末にイギリスのロンドンで人気となり、世界各地に広まった。また、ベルトコンベアで運ばれる料理は、すしの他、天ぷらなど、日本料理としてそれぞれの国で好まれるメニューが工夫されるようになった。

1958年4月、東大阪市に第1号店オープン。

＊4　米ソ両国の宇宙船（米国アポロ18号、ソ連ソユーズ19号）が地球を周回する軌道上でドッキングし、両国の宇宙飛行士が双方を行き来して国旗交換や食事会を実施。東西冷戦で敵対する米ソ間で初の共同飛行が実現したことは、両国間の緊張緩和を示唆する象徴的出来事となった。

会場の中央に見える、屋根を突き抜いてそびえ立つ塔は、芸術家・岡本太郎氏が製作した巨大な「太陽の塔」。写真右のチューブのようなものは高架式の「動く歩道」。広い会場敷地内の移動手段のひとつとして、近未来都市を象徴するものだった。

大量生産・大量消費の時代へ

人類は18世紀後半のイギリスで起こった産業革命の後、石油や石炭を利用してつくりだしたエネルギーで、大量生産・大量消費の時代に入りました。

様々な問題が発生

大量生産・大量消費の社会になると、都市に人口が集中し、様々な問題が発生します。その一つが公害問題です。先進国の工業地帯の周辺では「ばい煙」と呼ばれる有害な煙が大気を汚染し、工場や家庭が出すごみなどにより川や海を汚染。また、あらゆる廃棄物が増大し、その処理が大問題となりました。特に日本では「水俣病(みなまたびょう)」*1や「イタイイタイ病」*2「四日市喘息(よっかいちぜんそく)」*3などの公害病が大問題となりました。そうした負の側面に悩まされながらも、日本は高度経済成長の時代を謳歌していたのです。

その象徴が、大阪万博のお祭り騒ぎでした。東京、名古屋、大阪などの大都市へ人口が集中。それに伴い、東海道新幹線や東名高速道路などの大都市間の高速交通網が整備されました。テレビ・洗濯機・冷蔵庫の3種類の家電製品は「三種の神器」と呼ばれ、急速に普及。「大きいことはいいことだ」という言葉が流行語となります。それは大量消費を象徴していました。大阪万博には、生産技術を誇るあらゆるモノやサービス、技術が世界の国々から持ち込まれ、世界じゅうの人々を驚かせました。

「人類の進歩と調和」と謳ったテーマの「進歩」は実感できるものでしたが、果たして「調和」については、どうだったか、疑問が残ってしまいました。

＊1　工場排水に含まれるメチル水銀化合物に汚染された魚介類を摂取するために起きる中毒性の神経系疾患。最初に起こった場所（熊本県水俣市）の名から水俣病と呼ばれる。
＊2　鉱山で発生したカドミウムが川に流れ込み、それを摂取した人々に腎臓障害や体中の痛みなどの症状を起こす公害病。1955年、原因不明の病として新聞で紹介されると、68年には厚生省（現厚生労働省）によって公害による健康被害であることが認められた。
＊3　1955年中頃、石油コンビナートから排出された硫黄酸化物による大気汚染公害のため、多くの住民に発生した気管支喘息。発生地(三重県四日市市)の名から四日市喘息と呼ばれる。

1972年頃の東京の様子。道路には車があふれ、空は排気ガスでよどんでいる。ビル建設も盛んに行われた。

2 海をテーマとした沖縄海洋博

大阪万博の後すぐ、沖縄の日本復帰記念事業として国際博覧会を開催する構想が生まれます。そして1975年7月20日、「沖縄国際海洋博覧会」開幕。

高度経済成長期以降の万博

沖縄国際海洋博覧会（英語名International Ocean Exposition, Okinawa 1975）は、略称が「沖縄海洋博」「海洋博」で、沖縄の日本復帰[*1]を記念して行われました。そのため、日本の全国民を挙げて復帰を祝う大イベントになるはずでした。一方、世界で初めて「海」を中心にした「海─その望ましい未来」がテーマとして掲げられた万博（特別博→P63）でもありました。

主催者側の沖縄県は、県の財力だけでは足りず、資金を募って県内の至る所に「めんそーれ（ようこそ）沖縄」と書いた垂れ幕類を掲げて歓迎ムードを演出。沖縄館を出展し、沖縄の歴史と文化を紹介しました。会期は1975年7月20日から1976年1月18日まで。この万博では、日本を含む36か国と3つの国際機関が参加。特別博としてそれまでになかった規模となりました。

＊1　1972年、日米間で沖縄返還協定が成立・発効し、第二次世界大戦の終戦以降、アメリカの統治下にあった沖縄の施政権が日本に返還された。しかし復帰後もアメリカ軍基地が多く残る等、住民の望む「真の復帰」には至っていないとの声も多い。

＊2　KRT（Kobe personal Rapid Transit）は、神戸製鋼所が開発した新交通システムで、会期中、旅客運送のための交通機関として導入。戦争で鉄道を失った沖縄に帰ってきた最初の鉄道は沖縄都市モノレール（ゆいレール）だが、その開業以前に（一時的にではあるが）戻ってきた鉄道であり、日本初の新交通システム（AG

その成果と効果は？

空港から万博会場までの道路が万博のために急ピッチで整備されました（後に沖縄自動車道に発展）。会場が海岸沿いのとても細長い敷地だったため、会場内ではＫＲＴ（エキスポニューシティーカー）[*2]とＣＶＳ（エキスポ未来カー）[*3]という新交通システムが活躍。しかし、鳴り物入りの万博でしたが、想定来場者数が４５０万人のところ、会期を終えると約３４９万人と、１００万人減でした。結果、万博の経済効果も弱かったことから5年前の大阪万博の成功と比べて「失敗」だったとの見方もありました。さらに、万博に向けて行われた開発事業により泥が海へ流れ込み、サンゴ礁が被害を受けるなど、海洋汚染が発生。前年のアメリカ・スポーケン万博（↓P94）がモットーとした「汚染なき進歩」に反し、沖縄海洋博に対する評価が一層低くなりました。

名護市から那覇市までをつなぐ現在の沖縄自動車道。
©Daniel Ramirez

ワンポイント情報

一般博

当時の万博は、一般博と特別博の2種類だった（↓P63）。そのうち一般博は、大阪万博の後、1992年のセビリア万博（↓P106）まで22年間開催されていない。

T）でもあった。

＊3　CVS(Computer-controlled Vehicle System）は、通商産業省（当時）が中心となり開発したシステムで、小振りの車両を案内軌条に沿って自動運転させる、AGTとガイドバスの中間のような交通機関。KRTもCVSも無人運転の乗り物だが、前者は未来のバス、後者はタクシーにかわるものといわれた。

日本の高度経済成長期

日本経済は、戦後復興、その後の高度経済成長の中で高い経済成長を続けていきました。でも、沖縄海洋博の前に高度経済成長が終わっていたのです。

大阪万博で始まる1970年代

実質経済成長率で見ると、1960年代の前半は、年率で9・2%、後半には、それを超えて11・1%となっていました。

こうした高い成長率は、設備投資や個人消費が伸び、輸出が拡大したことによります。一方、人口の増加と農村から都市への労働力の移動、さらには教育水準の上昇に伴う人的能力の向上が、その背景にあったといわれています。

ところがそうした高い経済成長率は、大阪万博が

高度成長期の実質GNPと実質経済成長率（1970年基準）

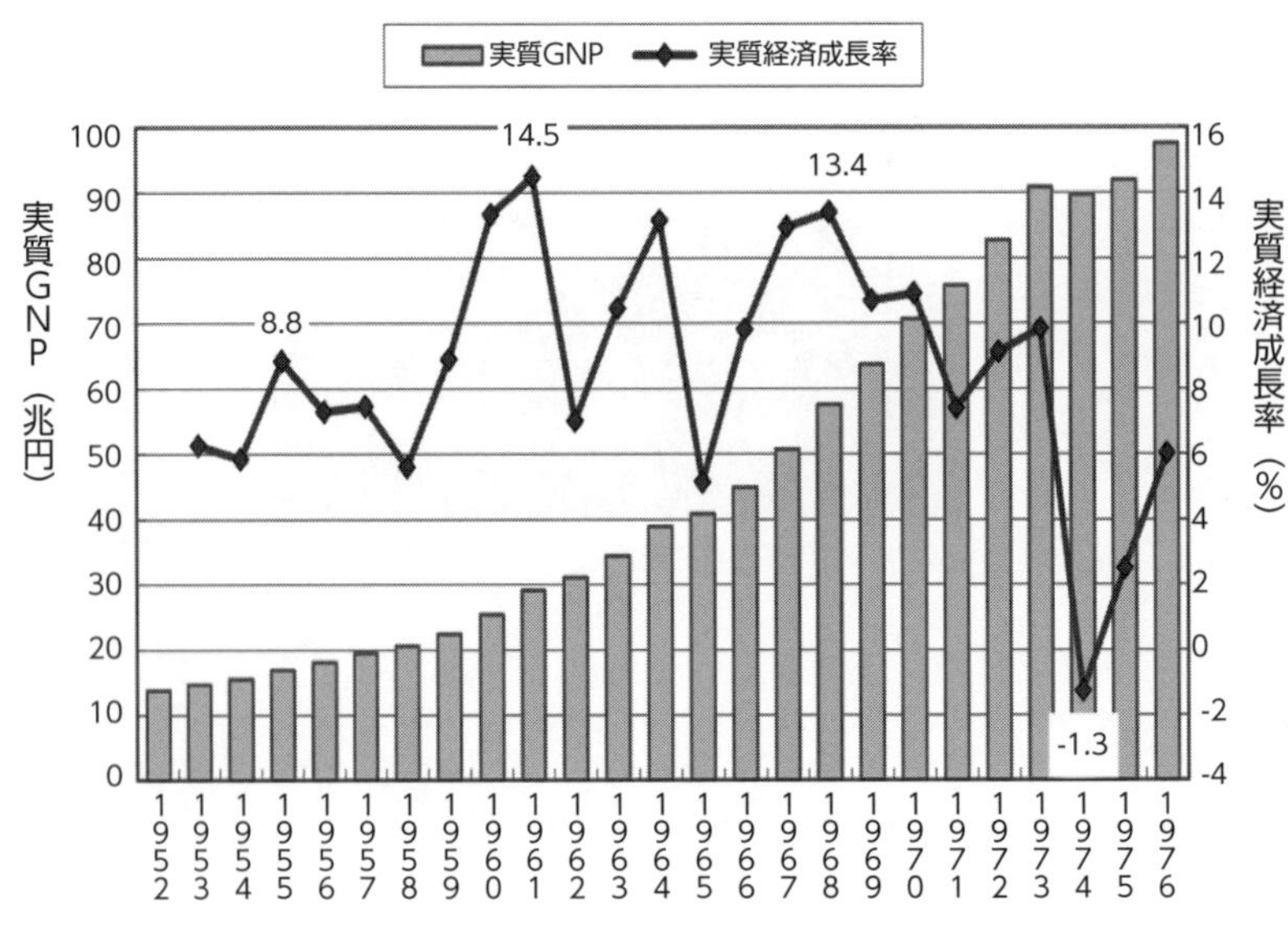

資料：経済企画庁『国民所得統計年報』昭和53年版

終了する頃には急速に低下していました。１９７０年代前半の実質経済成長率は、年率で４・５％でしたが、後半は４・４％にまで下がっていたのです。しかも、１９７３年10月には、第四次中東戦争[*1]が発生。日本はＧＮＰ成長率[*2]が戦後初めてマイナスに転落。戦後日本の高度成長は終焉となっていたのです。(これを以って、日本の高度経済成長期は１９５５年から１９７３年までの19年間とされる)。このため沖縄海洋博の来場者数が少なかったのも仕方なかったのかもしれません。

＊1　1973年10月にエジプト、シリアなどアラブ諸国がイスラエルを攻撃して始まった戦争。約2週間後に停戦。アラブ諸国がイスラエルに同情的な諸国に石油禁輸措置をとって第一次石油危機（→P94）を招いた。

＊2　国民総生産（GNP=1年間にある国で生み出される財やサービスの合計額。国の経済規模を表す指標）が前年と比較してどれほど増減したかを示す数値。現在では、GNPに代えて国内総生産（GDP）を使うことが多い。

1973年の第四次中東戦争によるオイルショックに伴い、トイレットペーパーや洗剤、灯油などの物不足が深刻になり、物価が高騰した。

3　1985年のつくば万博とその後

日本を含む48か国と37の国際機関が参加して行われた国際博覧会（特別博）のテーマは、「人間・居住・環境と科学技術」でした。

特別博覧会史上最高入場者数！

つくば万博の正式名は「国際科学技術博覧会」ですが、英語の表記 The International Exposition, Tsukuba, Japan, 1985 には、「科学」を表す単語が入っていません。でも、日本では、「科学万博」として「科学」が強調されました。開催地は筑波研究学園都市[*1]でした。大阪のような都会でも沖縄といった観光地でもない、マイナーな土地での開催（１９８５年3月17日から同年9月16日までの１８４日間）でしたが、総入場者数は２０３３万４７２７人と、当時の特別博覧会史上最高入場者記録となりました。

最先端科学技術

この万博は、会場内に所狭しと各国や世界的大企業のパビリオンが立ち並び、当時の最先端技術を駆使したアトラクションが来場者を楽しませていました。特に人気だったのが、ＮＥＣ（エヌイーシー）や、富士通パビリオン、日本アイ・ビー・エム館、住友館、松下館などの映像展示[*2]です。会期中毎日、長蛇の列が

＊1　茨城県の筑波市内にある研究学園都市。東京の過密状態を緩和するため国の試験・研究機関などを移転し、科学技術振興や研究・教育の拠点とすることを目指したもの。現在では2万人を超える研究者を擁する都市へと発展した。

＊2　博覧会、展示会や企業のショールーム等で、モノを展示する代わりに、特別に制作した映像を放映すること。

＊3　ロボットの中で、車輪、キャタピラーや4足ではなく人間と同じく2本の足でバランスをとりながら歩行するタイプのもの。つくば万博では1985年に日立製作所が早稲田大学と共同で開発した二足歩行ロボット

できました。

未来の乗り物・リニアモーターカーが会場内に敷設された専用軌道を走り、スカイライド（ロープウェイ）やビスタライナー（モノレール）も人気。ロボットシアターでは、二足歩行ロボット[*3]が歌い踊り、まるでアミューズメントパーク！

こうして高いアミューズメント性があり、多くの熱狂的なファンを生み出したつくば万博は、当時の科学ブームのきっかけとなりました。茨城県といえば、47都道府県の中で、『魅力度ランキング』では毎年下位を争っていますが、当時はそんなことはなかったといわれています。科学技術の象徴としてイメージされていたのです。

つくば万博終了後、愛知県岡崎市にある南公園に設置されたリニアモーターカー（HSST-03）。展示物として鑑賞することができる。

©LonelyPlanet

ワンポイント情報

コスモ星丸（ほしまる）

つくば科学博は、あらゆる科学が紹介されたが、そのマスコットキャラクターは、宇宙をイメージするものだった（↓巻頭特集Pⅵ）。日本全国の小中学生から公募された結果、愛知県の中学1年生の女子生徒がUFOをイメージして描いたものからつくられた。つくば万博の直前には、日本初の探査衛星「さきがけ」がハレーすい星の探査を開始していた。

---

*3 「WHL-11」(Waseda Hitachi Leg 11)が登場。メーカーが参入して開発した第1号の二足歩行ロボットで、電源以外のすべての機能をロボット本体に搭載させた「自立歩行」を実現。つくば万博では、会場内60キロメートル以上の距離を歩いた。

万博の変容

かつての「市（いち）」から「博覧会」になり、売買から見本市へ。国際化して「万博」となりましたが、現代は、そこに娯楽性が加わってきました。

映像の博覧会

1958年のベルギー・ブリュッセル万国博覧会は、戦後初の大規模博覧会となっただけでなく、映像が初めて登場した万博でした。次いで1964～1965年のニューヨーク世界博覧会（BIE非公認）でも新型の映像が大活躍、1967年モントリオール万国博覧会では、映像技術がさらに進歩していました。

日本では、1970年の大阪万博で映像が展示の主流となり、1975年の沖縄海洋博や1981年に「地方博」（後述参照）として開催された神戸ポートアイランド博[*1]では映像展示が大活躍。まるでアミューズメントパークでした。極め付けが、つくば万博。科学技術に裏打ちされた「映像万博」となりました。

地方博とは

日本では、明治時代から博覧会がいろいろ行われていました。その中には大きなものもありました。1977年、国土省などが「地方の時代」と言い始め、「地域活性化」をスローガンにした博覧会が全国各地で開かれるようになります。これが、「地方博」です。

1980年代後半になると、○○周年記念や都市緑化事業などといった地方博が各地で行われます。

中には外国からの参加や大企業が出展する大規模なものもありました。

１９８９年の横浜博覧会[*2]は、アミューズメント性が拡大。その一方で、地方博は次第にどこも似通ったものになっていきます。すると政府が地方博開催を制限するようになります。通産省は１９９２年、「ジャパンエキスポ制度[*3]」を発表（世界的に博覧会が乱立したためＢＩＥがつくられた事情と類似）。そして、沖縄海洋博で海洋汚染が発生したように、万博が人間・居住・環境を破壊することにもなりました。しかし、その反省が、２０００年の花の万博、２００５年の愛・地球博へ良い影響をもたらしました。

横浜博覧会が開催された1989年当時、世界最大の観覧車として話題を読んだ「コスモクロック21」。現在は横浜市の都市型遊園地「よこはまコスモワールド」で、人気を集めている。

＊１　1981年３月から９月まで、神戸港の人工島ポートアイランドを会場として開催された地方博覧会。メインテーマは「新しい“海の文化都市”の創造」。延べ1610万人が来場し、後の地方博覧会ブームの火付け役になったともいわれている。

＊２　横浜市制100周年・横浜港開港130周年を記念し、1989年３月から10月まで、神奈川県横浜市の横浜みなとみらい21地区で開催された地方博。テーマは「宇宙と子供たち」（21世紀への展望）。

＊３　かつて通商産業省（当時）が創設した特定博覧会制度（現在は既に終了）。特色ある地域の情報発信、交流の推進、住民意識の向上、産業の振興等に大きな効果を発揮する博覧会を「ジャパンエキスポ」に認定する制度。地方博覧会の開催を推進することを目的とし、同制度の下で計12回の博覧会が開催された。

4 「花の万博」ってなんだろう

「花の万博」は、正式名は「国際花と緑の博覧会」（英語名：The International Garden and Greenery Exposition, Osaka, Japan,1990）で、日本で4回目となる国際博覧会（特別博→P63）です。また「国際園芸家協会」が認めたアジア初の国際園芸博覧会（→P118）でもありました。

人の生命とその環境の尊重

開催地は、大阪市の都市公園である鶴見緑地。日本を含む83か国と55の国際機関、212企業・団体が参加して、183日の開催期間（1990年4月1日〜9月30日）に2312万6934名が来場。「つくば万博」の特別博としての参加人数の最多記録2033万4727人を「花の万博」は更新したことになります。

テーマは「自然と人間との共生」。会場全体が「山のエリア」「野のエリア」「街のエリア」に区分され、様々なパビリオンやアミューズメント施設等が設けられました。

バブル景気の大イベント

実はこの万博は、当初は1989年の大阪市の「市制100周年」事業として、地方博（→P178）で開催する計画でしたが、その後、国際博覧会として開催されることになりました。その背景には、１９８６年12月に始まったバブル景気[*1]がありました。

「花の万博」にも民間企業からの多額の寄付金が集まりました。その総額は国際博覧会史上最高を記録したといわれました。結果、バブル景気の中で行われたあらゆるイベントの中でも最大規模のビッグイベントとなったのです。

花博は、国際博覧会と園芸博覧会とを合体した、異色の試みとなった。

＊1　１９８６年から１９９１年初頭まで、株価や不動産価格の上昇、個人資産の増大など、好景気が続いたこと。

バブル経済

「バブル経済」とは、実態の価値以上の評価が生じている経済状態のこと。まるでバブル（泡）。日本では、1980年代の後半に起こりました。

バブル経済期の様子

1986年12月に始まったとされる日本のバブル経済期。土地や建物、株の値段が高騰し、金や宝石、絵画など、資産価値のあるあらゆるものが投機目的で異常に値上がりし、それらの資産価値が膨らみ、大きな利益が生じているかのように見える状況になりました。巷では「カネ余り現象」という言葉が聞かれたのです。その頃には、東京株式市場の売買額が世界一になり、ノンバンクも含めた土地関連銀行融資[*1]が激増しました。

折しも「つくば万博」をきっかけにした「科学ブーム時代」で、当時の宇宙、医療など、様々な科学技術が進歩。でも、それもバブルに支えられていたのです。

バブルの崩壊

ところが、そうしたバブル経済は5年そこそこで消えてしまい、金融引き締め[*2]や不動産融資規制[*3]により、1990年の「花の万博」が終わった頃には地価の下落、株価の下落へと一直線。翌年1991年2月には、バブル経済は崩壊してしまいました。

「バブル崩壊」とは、1991年から1993年頃にかけて起きた株価や地価の急落のことです。これ以降、日本経済は長い不況の時代となります。

尚、先に「花の万博」は、「つくば万博」のもつ特別博としての参加人数の最多記録を更新したと記しましたが、その背景には、直前までのバブル景気が影響していたことが考えられます。そして、次の日本の万博となる「愛・地球博」は、バブル崩壊からまもなくの開催となりました。

＊1　金融機関による、主に不動産業者に対する融資。1985年前後からの地価高騰は、この種の投機的取引の資金供給が背景にあるといわれる。
＊2　物価が急騰するなどの景気過熱局面で、政策金利や預金準備率の引き上げなどによって、通貨供給量を減らして消費、投資などの経済活動を抑制すること。
＊3　バブル経済下の土地価格高騰を抑えるため、不動産向け融資の伸び率を抑えるよう指導した規制のこと。

1985年以降の日経平均株価の推移

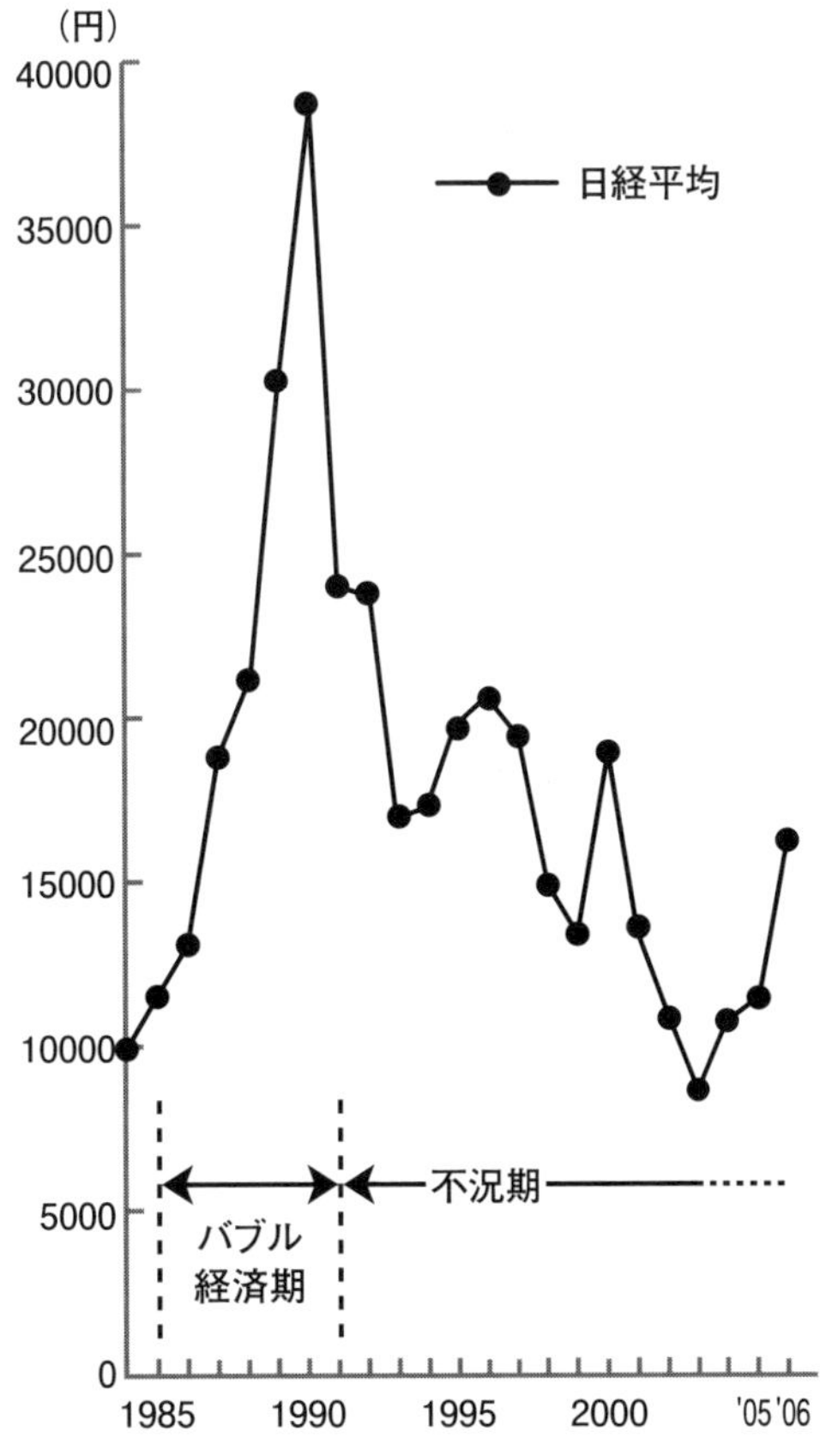

データは、年初日の終値。日本経済新聞社資料より作成。

5 「愛・地球博」のもたらしたもの

日本で5回目の万博は、「2005年日本国際博覧会」(The 2005 World Exposition, Aichi, Japan)。略称が「愛知万博」。「愛・地球博」は愛称です。

1970年以来の本格的な国際博覧会

2005(平成17)年3月25日から9月25日の185日間にわたって開催された万博は、21世紀になって初めての登録博(以前の「一般博」→P63)として行われました。愛知県瀬戸市南東部、豊田市、長久手町(現・長久手市)が会場となって、「自然の叡智」をテーマに掲げ、新しい文化・文明の創造を目指すというもの。参加国は、日本を含めて121か国と4国際機関で、総入場者数は、目標を大きく上回る2204万人余りを達成しています。

実は、この万博の計画は「2005年日本国際博覧会協会[*1]」が1997年に発足したことから始まりました。8年の準備期間を要しましたが、その間の日本経済は低迷していたため、大会関係の費用の捻出は、非常に厳しかったといいます。

同協会によると「建設、運営及び来場者消費の支出合計は、広域幹線道路、空港等関連交通基盤まで含めると約3兆5千億円となり、地元中部地域の経済だけでなく、

＊1 2005年日本国際博覧会「愛・地球博」(愛知万博)を主催した財団法人。1997年、豊田章一郎(トヨタ自動車名誉会長)を会長として発足。

我が国全体の経済にも多大な効果を与えました」とのこと。それが目標以上の来場者となり、物品販売など様々な収益も伸び、大成功。関係者はほっとしたといいます。

新しい万博へ

もとより、そもそもの万博は、製品（モノやサービス、技術力など）を、即ち国の「力」を世界に向けてPRするもの。そうした状況は、20世紀末まで続いていました。ところが、この万博からは、新しい国際博覧会になっていきます。世紀も変わり、21世紀の新しい国際博覧会に変容したといわれています。BIE（→P54）も日本政府も「人類共通の課題の解決策を提示する『理念提唱型万博』」と位置付けました。人類共通の課題といえば、当時はMDGs（ミレニアム開発目標→P252）が既に２００１年に発表され、また、ESD（持続可能な開発のための教育→P294）も、２００２年に「持続可能な開発に関する世界首脳会議」で日本が提唱し、国連総会で採択されました。

愛・地球博記念公園にジブリパーク

愛・地球博の閉幕後、メイン会場だった一帯は「愛・地球博記念公園」として再出発し、市民の憩いの場となった。愛知県では、愛知万博の理念を次世代へ継承するため、この記念公園にスタジオジブリの世界観をテーマとした公園施設をつくると発表。「人と人、人と自然のつながりを増やしたい」という願いのもと、２０２２年第一期、２０２３年第二期のオープンの予定だ。

褒賞制度の復活

かつての万博ではあらゆる展示に対し政府などが評価する「褒賞制度（→P64）」がありましたが、1958年のブリュッセル万博からは途絶えていました。

自然の叡智賞

優れた展示に対し賞を贈るといった、かつての万博の褒賞制度が、「愛・地球博」で復活しました。それが、「自然の叡智賞」。「2005年日本国際博覧会協会」が、公式参加国や国際機関などのパビリオンを対象に授与するというもので、その目的は、万博のテーマである「自然の叡智」の「主旨を具現化し、かつ、それを広く伝えようとする努力を奨励する」というもので、2回発表されることになりました。その1回目が、公式参加パビリオンの外観、内装および展示内容などを評価し、5月26日発表されました。2回目は「テーマに基づき、自然保護、生物多様性、文化多様性、相互理解、国際交流の促進など、今日のグローバルな問題を解決するため、世界に向けて発信している公式参加者のメッセージ」を評価し、9月19日に発表となりました。それぞれに4部門で、金・銀・銅賞が左のとおり決まりました。

尚、審査員は、BIE議長や事務局長、国際諮問委員会委員長などの関係者を始め、建築家、芸術家などが務めました。[*1]

＊1　審査委員会には国際諮問委員会委員長のオーレ・フィリプソン氏や世界銀行顧問のラシード・スリミ氏、建築家・環境デザイナーの彦坂裕氏、建築家・芸術家で前メキシコ大統領顧問のアルベルト・レンツ氏等が含まれた。

第1回表彰		
A	金賞	韓国館
	銀賞	スペイン館
	銅賞	イギリス館
B	金賞	トルコ館
	銀賞	メキシコ館
	銅賞	ギリシャ館
C		フィリピン館
	銀賞	モロッコ館
	銅賞	ニュージーランド館
D	金賞	ベネズエラ・ボリバル共和国（アンデス共同館）
	銀賞	ケニア共和国（アフリカ共同館）
	銅賞	ウズベキスタン共和国（中央アジア共同館）

第2回表彰		
A	金賞	ドイツ館
	銀賞	フランス館
	銅賞	アメリカ館
B	金賞	メキシコ館
	銀賞	オーストラリア館
	銅賞	マレーシア館
C	金賞	オランダ館
	銀賞	南アフリカ館
	銅賞	インドネシア館
D	金賞	アンデス共同館
	銀賞	マダガスカル共和国（アフリカ共同館）
	銅賞	ケニア共和国（アフリカ共同館）

第6章 近年の万博とSDGsとのつながり

1 万博のテーマが象徴する歴史上の課題

日本が初めて参加した1867年のパリ万国博覧会からちょうど150年後の2017年、カザフスタンでアスタナ万博が開催されました。

21世紀の万博

21世紀最初の万博（登録博→P63）は、2005年の日本の「愛・地球博」（→P184）でした。そこで問題にされたのが「人類共通の課題の解決策」。それから12年後のアスタナ万博では、「未来のエネルギー」がテーマとされ、「CO_2（二酸化炭素）排出削減」と「エネルギーの効率的な利用」「すべての人類のためのエネルギー」の3つがサブテーマとして掲げられました。

21世紀に入ると、このように万博においても、人類共通の課題が強く意識されるようになります。とりわけ環境問題やエネルギー問題の解決に寄与することが万博にとって重要課題になってきたのです。

そんな中、愛・地球博開催直前の2月16日、「京都議定書[*1]」が発効したのです。その結果、1990年の温室効果ガス総排出量を基準として2008年～2012年の5年間に先進国全体で、少なくとも5％の削減を目指すことが決まりました（日本は

＊1　1997年、京都で開かれた国連気候変動枠組条約の第3回締約国会議で決定された国際約束。1990年の温室効果ガス排出量を基準にして、先進国が排出を減らす割合が決められ、2008年から2012年の期間に達成することを目標にしたもの。先進国全体で5.2％、日本は6％減らすことが目標とされた。

＊2　2030年までに持続可能でよりよい世界を目指す国際目標。17のゴール・169のターゲットから構成されており、地球上の「誰一人取り残さない（leave no one behind）」ことを誓っている。

6％削減を目標とすることに）。

そうした時代に世界各地で開かれた国際博覧会（認定博→P63）は、どれも地球温暖化をストップするための技術やイノベーション（→P214）などが積極的に発表されたり、展示されたりしました。2010年に開催された上海万博（愛・地球博の次に開かれた登録博→P118）では、「より良い都市、より良い生活」というテーマの下、環境問題やエネルギー問題を考慮した都市と人々の生活が提案されました。

SDGsとの結びつき

実は、こうした万博の一連の流れが、2015年に発表されたSDGs（エスディージーズ）の目標[*2]に記されたものと同じだったのです。たとえば、2015年に発表されたSDGsの中の目標11「住み続けられるまちづくりを」は、その5年前に行われた上海万博のテーマを彷彿とさせるものでした。つまり、その頃、そして、その後の万博はSDGsと強く結びついていくことになります。

上海万博のキャラクター「海宝（ハイバオ）」は、漢字の「人」の形からつくられた。万博テーマに関連し、人と社会や自然が調和することを象徴しているという。

SDGs目標11「住み続けられるまちづくりを」

現在、世界の人口の半分は巨大都市に集まっています。その傾向が今後も進み、このまま増加し続けると、2050年には世界人口の3分の2が都市に集中すると予測されています。

都市の歴史

人類の歴史上最古のまちと考えられているのが、現在のパレスチナ東部に位置するエリコです。1万年前には城壁があったことが確認されています。

その後、紀元前3500年から紀元前3000年頃にはメソポタミアで、そして、ナイル川流域、インダス川流域、黄河流域において古代文明が興り、都市もでき、28ページに記したように「市」が行われるようになりました。

紀元前1000年から紀元前500年頃には、エジプトやバビロニア、中国に人口が10万人を超す都市が登場。その後、ローマ帝国の最盛期といわれる紀元200年頃には、ローマの人口は100万人を超えていたと考えられています。「市」から発展した「博覧会」がたくさん開催されました。

時代が下り、8世紀から12世紀にかけて、現在のイラクでは円形城塞都市バグダッドが栄華を誇り、唐（現在の中国）でも長安の人口が100万人超えに。そうした都市では国際交流も盛んになり、「古典的万博」といってもよい博覧会も見られました。唐の長安からアジアとヨーロッパの中継点であるトルコのイスタンブールを通って西のローマまでのシルクロード[*1]では、いわずもがな。

現代はというと、世界の人口の半分以上が都市に暮らしています。先進国でも開発途上国でも、人々が都市に集まっています。

国連によると、人口1000万人超の巨大都市は、1990年時点では10か所でしたが、2018年に33か所となり、合計5億2901万人が都市の住人で、2030年には巨大都市が43か所になると予測されています。とくにアフリカとアジアの人口増加率が高くなっています。

日本の場合、東京とその周辺（首都圏）は3747万人（2018年）が暮らす、世界でいちばん人口の多い地域となっています。

都市が抱える問題

貧困層は都市に集中することが多く、開発途上国ではそれが顕著です。農村に暮らしていては貧困から抜け出せないので、都市へ働きに出ます。しかし、都市に行っても仕事はなく、住むところもなく、まちを彷徨う……。彼らはスラム[*2]（街）に住みつき、物乞いをしたり、ごみを集めたりしてその日暮らし。犯罪に手を染める人も多く、スラムの治安は非常に悪くなっています。

スラムは、ブラジルや中国のような新興国に多く見られます。水道は勿論、生活環境や公衆衛生など

＊1　古代の中国と欧州を結んだ交易路。欧州から中国に羊毛、金、キリスト教などが、中国から欧州には絹が運ばれた。

＊2　都市部で貧しい人達が集まって住んでいる区域。アフリカ、アジア、南アメリカの途上国だけでなく、スペインやアメリカ等先進国にも存在する。

ブラジル、リオデジャネイロのスラム街。

様々な面でインフラ[*3]が整っていないため、人々は不健康な状態にあります。いったん感染症[*4]が発生すると、たちまち広まってしまいます。また、大雨や台風で建物が容易に壊れ、寝る場所もなくなってしまいます。

「都市の歴史は感染症との戦いの歴史」といわれています。かつてのヨーロッパの都市では、人口が増えてくると、城壁の中の屎尿やごみ処理の問題が深刻になります。汚物やごみで不衛生になり、感染症が発生し、発生したとたんに蔓延。

歴史上、最も人類を苦しめた感染症の一つにペストがあります。6世紀から8世紀にかけて東ローマ帝国を中心に流行したペストは、当時の世界人口の半分近くが感染し、多くが死に追いやられたという説があります。東ローマ帝国の崩壊を早めたとも。ペスト以外でも、チフスやコレラなどによって人類は苦しめられました。

18世紀半ば過ぎ、イギリスで始まった産業革命後の工業化により、労働力として多数の賃金労働者が必要とされました。そのため多くの人々が農村から都市に移り住み、都市の人口は増加の一途。ところが、人口増加でごみが大量に発生し、ごみ問題が益々深刻になり、まちがごみだらけ、汚物だらけとなり、衛生状態が極端に悪化しました。感染症が度々流行し、多くの人々の命が失われました。

世界の国々が同様の問題を抱える中、中国は、より深刻でした！　２０１０年の上海万博は、そうした中の開催。上海万博のテーマが「より良い都市、より良い生活」だったのには、そうしたことが背景にあったのです。

ロンドンの中心部を流れるテムズ川は、かつては汚染が酷く、感染症などの原因になっていた。

＊3　国の経済や人々の生活を支えて国民の福祉に役立つ施設や制度のこと。道路、鉄道、港湾、ダム、灌漑施設などの他、学校、病院、上下水道など人々の生活に役立つもの、さらに法律や様々な制度を指すこともある。（→P214）

＊4　病気を起こす微生物（病原体）が人や動物に定着し、症状を起こすこと。主な症状として発熱や下痢、嘔吐等が知られている。

2 ミラノ万博とSDGsの目標

2015年のミラノ万博のテーマ「地球に食料を、生命にエネルギーを」は、世界が飢餓や食料、生物多様性を考える中で決定されました。

ミラノ万博・日本館では

ミラノ万博で展示デザイン部門の金賞を受賞した「日本館」には、世界中からやってきた人たちが毎日行列をつくっていました（→P123）。その一番人気は日本の食材を活用したレストランでした。でも、日本がこの万博で貢献したのは美味しいレストランだけではありません。日本館は、「地球に食料を」に関係する貧困や飢餓、食の安全・安心、食品ロス[*1]などの問題を提起し、一方の「生命にエネルギーを」についても、水資源の枯渇や気候変動[*2]の問題を提起するなど、万博のテーマ「地球に食料を、生命にエネルギーを」を効果的に具現化したことで、高い評価を受けました。

2013年11月に政府などによって設立された海外需要開拓支援機構（クールジャパン機構[*3]）は、ミラノ万博で日本の食に関するモノやサービス・技術を、世界に向けてアピールすることに成功しました。

＊1　本来食べられるのに捨てられてしまう食品。生産の現場から消費者に届くまでに発生する食品ロスと、食べ残しなど家庭から発生する食品ロスの2種類がある。

＊2　様々な原因による気温や降水量などの変化のこと。環境問題の文脈では、地球の表面温度が長期的に上昇する現象、つまり地球温暖化とその影響のこと。要因は自然現象による場合もあるが、1800年代以降は主に人間活動、とりわけ化石燃料の燃焼によるとされている。

＊3　2013年、日本の生活文化の特色を生かした商品やサービスの海外における需要と供給の拡大を通じた持続的成長を目的とし

ミラノ万博日本館の展示。「発酵・天日干し」「出汁・うま味」など、日本食に込められた様々な知恵や技が、健康的な食生活に貢献する「未来食」になることをアピールした。

SDGsの目標1、2、12

このようにミラノ万博は、世界が食料や食について考える場となりました。そして万博期間も終わりに近づく9月25日、国連サミットで採択されたSDGsの17個の目標のうちのいくつかと直接結びついたのです。それは目標1「貧困をなくそう」、目標2「飢餓をゼロに」、目標12「つくる責任　つかう責任」です（→P198）。

尚、当時の日本の経済成長率は2014年が0・2％でしたが、2015年は1・2％、2016年1・6％と、好転の兆しが見えていた時期でした。

クールジャパン戦略

「クールジャパン」とは、外国人がクールと捉える日本の魅力のこと。「クールジャパン戦略」は、漫画やアニメ、若者のファッションなど日本ブームの創出や海外展開、及び日本を訪れる外国人の拡大などにより、日本の経済成長を実現する政策を指す言葉となった。

て設立された官民のファンド。

SDGsの目標1、2、12とは

ミラノ万博の背景となった貧困や飢餓問題は、SDGsでは、目標1と2で掲げています。また、食品ロス問題については、目標12で扱われています。

貧困とSDGs

2015年のミラノ万博は「地球に食料を、生命にエネルギーを」をテーマに掲げ、SDGsでは、目標1「貧困をなくそう」、目標2「飢餓をゼロに」などが掲げられました。しかし、2019年の「世界の食料安全保障と栄養の現状」という報告書によると、2018年は推計8億2000万人が十分な食料を得ることができず、世界の飢餓人口は3年連続で増加しているとのことです。

飢餓対策としてSDGs目標2には、「発育阻害の子どもの数を半減させ、低出生体重児を減らす」といったことまで明記されています。200ページのハンガーマップ[*1]からもわかるように、飢餓が起きているのは主にアフリカとアジアです。より深刻なのがアフリカで、飢餓蔓延率[*2]が非常に高くなっています。サハラ以南のアフリカ地域と南アジアの3人に1人の子どもは発育阻害を起こしていると推定されています。

こうした中、日本はミラノ万博日本館での展示でも示したように、あらゆる機会と場所を利用して世界が直面する問題の解決に向けて活動してきています。勿論、世界の国々もSDGsの下で、貧困、飢餓を解消するために努力してきました。しかし、実際にはまだまだ厳しい状況にあります。

世界の飢餓が起こる原因

飢餓は、雨不足や洪水などの自然災害によって農作物がとれなくなることが原因の一つです。飢餓の起こる原因はたくさんあります。その最大の原因は、紛争、内戦、戦争！　深刻な飢餓が起こり、世界の飢餓人口が増大。また、下痢とコレラも蔓延。大規模な集団感染が発生し、餓死者も増加。特に幼い子どもがどんどん餓死しているのです。紛争による飢餓が深刻な地域は、中央アフリカ共和国、イエメン、アフガニスタン、イラクです。これら4つの国だけで、推定合計が3500万人以上が飢餓！

また、地球温暖化も飢餓の原因です。現在、世界中で大きな自然災害によって飢餓が起きています。しかも、自然災害の発生数は年々増加。アフリカなどの開発途上国で起きた洪水や干ばつの数は1990年と比較して2倍以上になっています。地球温暖化が関係して極端な気象現象[*3]が多発するようになってきたことも、MDGs（エムディージーズ）（→P252）で一時減少傾向にあった世界の飢餓人口を再び増加させました。

もとより地球温暖化を引き起こしたのは人類。だから、2015年にMDGsに続きSDGsをつくり、1番目に貧困、2番目に飢餓を位置付けたのです。

＊1　世界中の飢餓の状況を、色分けなどによりわかりやすく示した世界地図。国連世界食糧計画（WFP）が毎年作成。栄養不足の人口の割合を五段階の色分けで表示する。

＊2　飢餓状態にいる人が人口のうちどのくらいの割合を占めるかを表す指標。

＊3　激しい大雨、熱波、干ばつ、台風やハリケーンを含む熱帯低気圧など、極めて稀に起こる気象現象のこと。

各国の栄養不足人口の割合「ハンガーマップ」

下に示す地図は、国連世界食糧計画（WFP）*4がつくった「ハンガーマップ」（2021年度版）です。世界の飢餓の状況を表した世界地図です。世界人口の10人に1人に当たる約8億1100万人が飢餓に苦しんでいます。

また、ユニセフを含む5つの国連機関は、世界の飢餓の状況について、次のように様々な角度からその深刻さを示しました

（2021年発表）。飢餓人口：7億2040万～8億1000万人、地域別には、アジア：4億1800万人、アフリカ：2億8200万人、ラテンアメリカ・カリブ海地域：6000万人。各地の人口に占める割合はアフリカが21％と最も大きくなっています。

＊4　食糧欠乏国への食糧援助と天災などの被災国に対して緊急援助を施し、経済・社会の開発を促進する国際連合の機関。1961年設立。

各国の栄養不足人口の割合（ハンガーマップ）

出典：国連WFP「ハンガーマップ2021」

SDGs目標2のターゲット2・1

SDGsのターゲットとは、17個の目標（ゴール）に示された、具体的目標のことです。全部で169個あります（詳しくは↓P282〜293）。SDGs目標2「飢餓をゼロに」の一つ目のターゲット2．1は、「2030年までに飢餓を撲滅し、すべての人々、特に貧困層及び幼児を含む脆弱な立場にある人々が一年中安全かつ栄養のある食料を十分得られるようにする」となっています。

一見すると、日本とは関係ない目標のような気がしますが、「すべての人々、特に貧困層及び幼児」ということからすると、日本にとっても必要な目標です。

ターゲット12・3

SDGs目標12「つくる責任 つかう責任」のターゲット12・3は、「すてられる食料を半分にし、生産者から消費者にくるあいだにすてられる食料を減

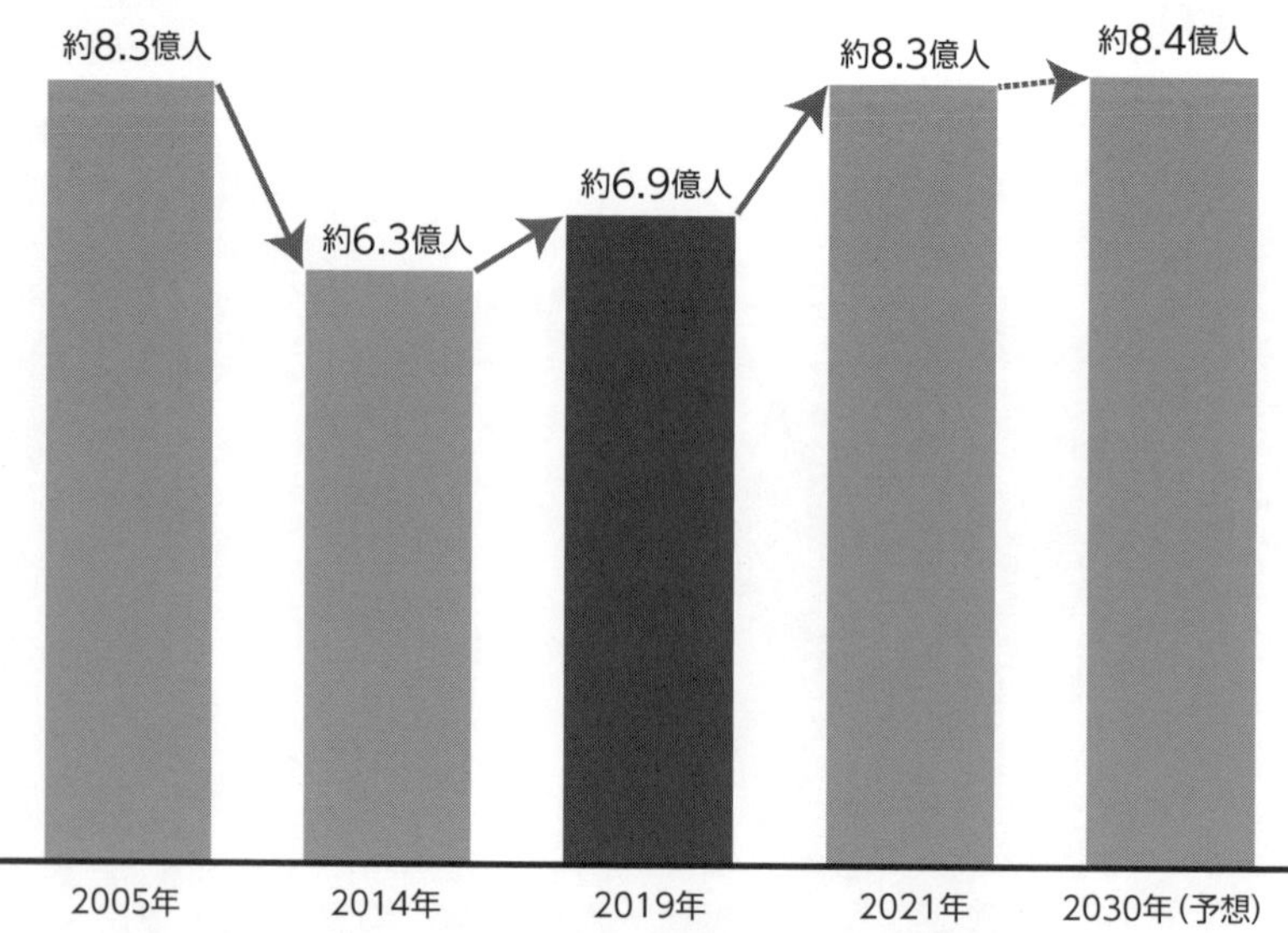

出典「The State of Food Security and Nutrition in the World 2020, 2022（FAO）」

らす」（「これならわかる！　SDGsのターゲット169徹底解説」より）となっています。

FAO[*5]によると、毎年、世界の食料生産量の3分の1に当たる約13億トンの食料が廃棄されています。日本でも年間に600万トン（東京ドーム5杯分）が食べられずに廃棄。その原因の一つは、家庭で食べ残した食品や、買ったのに使わずに時間がたった食品が捨てられていることです。

もう一つの原因として挙げられているのが、小売店などでの売れ残りや飲食店での食べ残し、売り物にならない規格外の食品などが捨てられているのです。開発途上国では、農作物が技術不足のためにうまく収穫できなかったり、収穫した作物をうまく運搬・保存できなかったりするために、ロスしているのです。

売れ残ったため廃棄処分になった野菜やフルーツ。
©Luke Jones

＊5　国際連合食糧農業機関。世界各国民の生活水準の向上、食料・農産物の生産・供給の改善に寄与することを目的とする、国際連合の専門機関の一つ。2023年現在約3400人の職員が130か国以上の国や地域で活動。

3 延期になったドバイ万博とSDGs目標7

2020年に開催されるはずだったドバイ万博（↓P126）は、新型コロナのパンデミックにより、1年遅れの2021年10月1日に開幕しました。

「言葉遊び」ではない

この万博のテーマは「心をつなぎ、未来を創る」です。サブテーマとして「流動性」「機会」「持続可能性」の3つが掲げられました。まるでそのテーマを実現したかのように、持続可能な機会をうかがって流動的に延期され開催されました。すべての人類が心をつなぎ、地球の未来を創ろうとしたのです。これは言葉遊びですが、現実でした。

新型コロナウイルス感染症とスペインかぜ

ドバイ万博がBIE（ビーアイイー）総会で決定したのは2013年11月27日。その時、世界中で感染症のパンデミック（↓P126）が起こるとは予想だにされませんでした。2019年の年末に中国・武漢（ウーハン）で新型コロナウイルス感染症が発生。[*1] 新型コロナウイルス感染症は、2020年に入るとまたたく間に世界中に広まり、パンデミックを引き起こしました。実は、そのちょうど100年前、第一次世界大戦中の1918年に始まったスペインかぜ（スペインインフルエン

＊1　正式名称はCovid-19。2019年に中国の湖北省で初めて確認された、新たなタイプのコロナウイルスにより発症する感染症の一種。発熱や咳といった症状を引き起こす。

＊2　第一次世界大戦中の1918年に始まり、世界中に広まったインフルエンザ。患者数は約5億人、死者数は4000万人ともいわれる。第一次世界大戦中に流行したため参戦国の兵士が被害を受けることになり、戦局にも大きな影響を与えた。

ザ[*2]）のパンデミックが１９２１年頃まで続いていたのです。この感染症は、中世のペストになぞらえて「２０世紀の黒死病（ペスト）」と呼ばれて恐れられました。当時の世界人口は18億人。そのおよそ3分の１の６億人が感染し、死者は４０００万人とも５０００万人ともいわれました。その数は第一次世界大戦の死者１６００万人よりはるかに多く、第一次世界大戦を終わらせたのはスペインかぜだったといわれるほどでした。

　スペインかぜは3年ほどで収束しましたが、２０１９年に始まった新型コロナウイルス感染症は３年以上

新型コロナのパンデミックにより、外出時はマスクを着用することが当たり前となった。

が過ぎても収束していません。現在の世界人口80億人に対し感染者数が7億6818万人、死者は694万5714人（2023年6月時点、WHO）。医学も薬学も科学技術も、100年前と比べものにならないほど進歩しているにもかかわらずです。それだけ交通の発達、科学技術の進歩により国際化が進んだ結果、人流が速く激しく広くなっているからだと考えられています。

第一次世界大戦が終わり、スペインかぜも収束すると、人類は前進の一歩を歩みだしました。BIE条約（→P56）がパリで調印されたのも、それから間もない1928年のことでした。1933年には「進歩の世紀」をテーマにシカゴ万国博覧会（→P44）が開かれました。

ドバイ万博は延期となりましたが、コロナ禍の中、世界の国々は持続可能を希求し、様々なイノベーションを展示しました。「イノベーション」とは「技術革新」と訳されています。この万博ではエネルギー問題に関するイノベーションが多く出品されました。SDGsでいうなら、目標7「エネルギーをみんなに そしてクリーンに」です。

水とエネルギー

「サステナビリティ（持続可能性）パビリオン」という名称のパビリオンが万博の中心的な施設とされ「テラ」という名前がつけられました。そして「テラ」では、その周囲の湿った空気から水をつくりだしました。

また、幅130メートルの大屋根や周囲にそびえる「エナジーツリー」には1000枚以上のソーラーパネル[*3]を備え、万博の運営に必要なエネルギーの一部を賄いました。

尚、化石燃料は、燃やすと二酸化炭素を排出するばかりでなく、あと数十年から数百年で地球からなくなってしまうと心配されている中、SDGsでもエネルギー問題は重視され、目標7「エネルギーをみんなに そしてクリーンに」などいくつもの目標に明記されています。

ドバイ万博日本館。特徴的なファサード・デザインは、中東のアラベスクと日本の麻の葉文様を組み合わせたもので、日本と中東の長い歴史のつながりを表現。また、双方の伝統的な環境システムを取り入れ、水と風を利用した環境にやさしいサステナブルな建築。

提供：2020 年ドバイ国際博覧会日本館

＊3　太陽光エネルギーを直接電気に変換する太陽光発電に用いられるパネル状の設備。建物の屋根や敷地などに設置される。化石燃料に頼らない再生可能エネルギーの一つ。

4　いざ開催！　エネルギー問題と水問題を考える万博

ドバイ万博は、ＳＤＧｓ目標７のエネルギー問題と、砂漠の国だけあって世界の水問題を考える良い機会と場所となりました。

エネルギーの歴史

何度も繰り返しますが、産業革命が起こると石炭をエネルギー源とする蒸気機関が、工場や輸送機器（蒸気機関車など）の動力源として利用されるようになり、世界のエネルギー消費量は急速に増加。エネルギーの使いみちも急激に拡大します。そして20世紀中頃には、石炭よりも使い勝手がよく様々な使いみちのある石油が主要なエネルギー源になりました。その後、発電に利用できるエネルギー源の開発が進み、石油や石炭、天然ガスなどの化石燃料、原子力、風力や太陽光など、エネルギー源が多様化していきました。近年、「シェールガス」[*1]という天然ガスが注目を浴びています。

化石燃料とは、石炭・石油・天然ガスなど、過去の植物や動物の死骸が変化してできた燃料。薪や木炭が現在の植物から得られる燃料であるのに対し、化石のように長い年月をかけないとできないことから、「化石燃料」という名前がつけられました。

＊1　頁岩（けつがん）と呼ばれる堆積岩の層から採取される天然ガス。原油と同じく化石燃料の一種。深い地層にあるため最近の技術進歩のおかげで採掘可能となった。

限られた資源

世界のエネルギー消費量は年々増加の一途、化石燃料が地球上からなくなってきています。IEA（アイイーエイ）＊2によれば、2040年の世界のエネルギー消費量は、2014年と比べて約1・3倍になると予想されています。下のグラフは、エネルギー資源の可採年数と確認埋蔵量を示したもの。可採年数というのは、現時点の採掘可能な埋蔵量を年間の生産量で割った数字で、「このまま使い続けるとあと何年採掘できるか」を示しています。石炭と原子力発電の燃料となるウランは100年程度、石油、天然ガスは50年ほどしかありません。

世界のエネルギー資源確認可採埋蔵量・可採年数

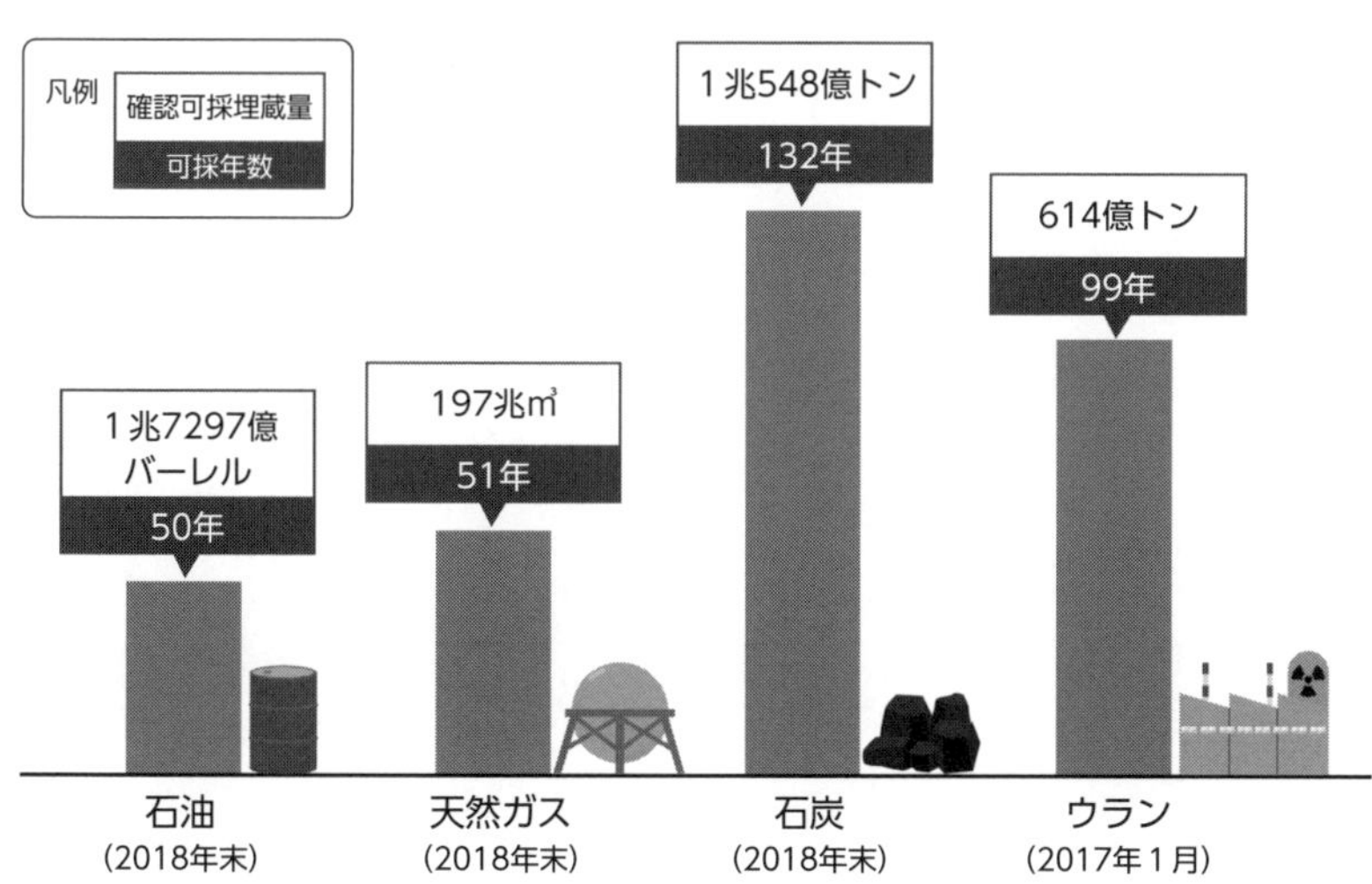

日本原子力文化財団「原子力・エネルギー図面集」をもとに作成

＊2　国際エネルギー機関（International Energy Agency）。1973年の第一次石油ショックを契機に、1974年に創設された石油消費国の国際機関。エネルギー安全保障の確保（Energy Security）、経済成長（Economic Development）、環境保護（Environmental Awareness）、世界的なエンゲージメント（Engagement Worldwide）の「4つのE」を目標に掲げている。

再生可能エネルギーが必要

エネルギー不足や化石燃料などの利用から生じる問題を解決するには、再生可能エネルギーの利用を増やすこと、つくったエネルギーをより効率的に使うことが重要です。

「再生可能エネルギー」とは、太陽光や風力など、自然界に常に存在する資源からつくられるエネルギーのことです。「自然エネルギー」と呼ぶ中で、化石燃料による発電をやめて、再生可能エネルギーに変えていこうという動きが活発になり、2019年には、再生可能エネルギーの発電量が、世界の総発電量の26・6％を占めるようになりました（国際エネルギー機関調べ）。

再生可能エネルギーと自然エネルギー

- **再生可能エネルギー**：消費しても常に補われるエネルギーをまとめていう呼び名。太陽光や風力など自然エネルギーのほかに、「バイオマスエネルギー」や「温度差・濃度差エネルギー」など、別の再利用できる資源を使って生みだされるものも含まれる。
- **自然エネルギー**：再生可能エネルギーのうち、自然現象から得られるエネルギー。主に太陽光、風力、地熱。尚、ダムではなく河川の流れを利用した水力も含むことがある。また、再生可能エネルギー、自然エネルギーと似た言葉として、「クリーン（きれいな）エネルギー」という言葉も使われている。これは、環境を汚染する物質、たとえば窒素酸化物（NO_x）や二酸化炭素（CO_2）などを排出しない、あるいは排出したとしても問題にならない程度に少ないエネルギーを指す。

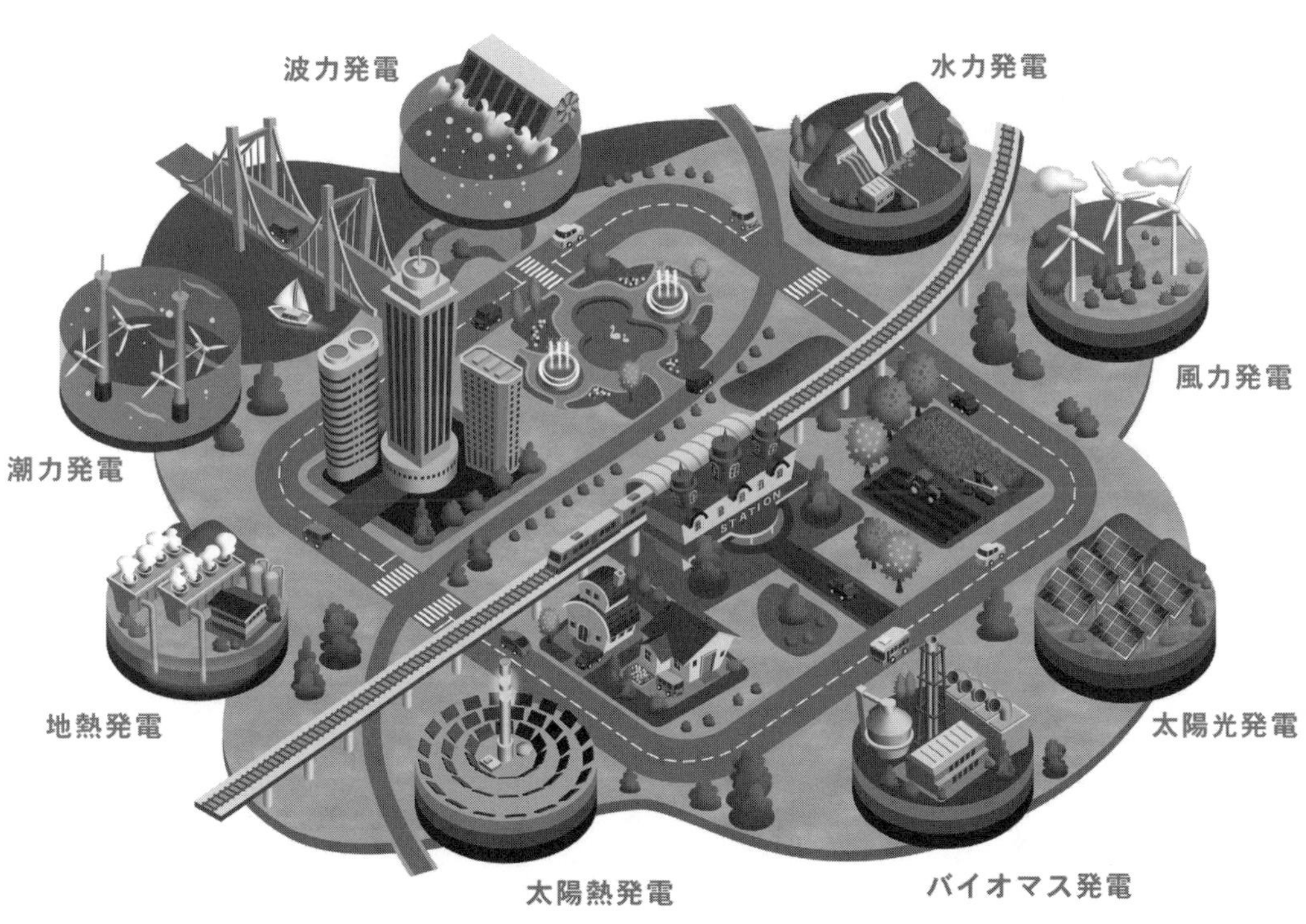

主な再生可能エネルギー。

地球上の水

地球上にある水は、全体の97・5%が海水で、淡水（真水）はわずか2・5%！　さらに人類が利用できるのはわずか0・01%にすぎません。左の写真でちょこんとのっている小さなボール❶が、地球上のすべての水を表しています。ほとんどは海水で、そのうちの真水は、さらに小さなボール❷です。しかも真水の大半は、北極や南極の氷です。凍っていない真水の多くは地下水で、その半分以上が地下800メートルよりも深い地層にあって、簡単に利用できません。人類がすぐに使える真水は、地球の表面の川や湖、沼などにあって、一番小さな点❸ほどなのです。

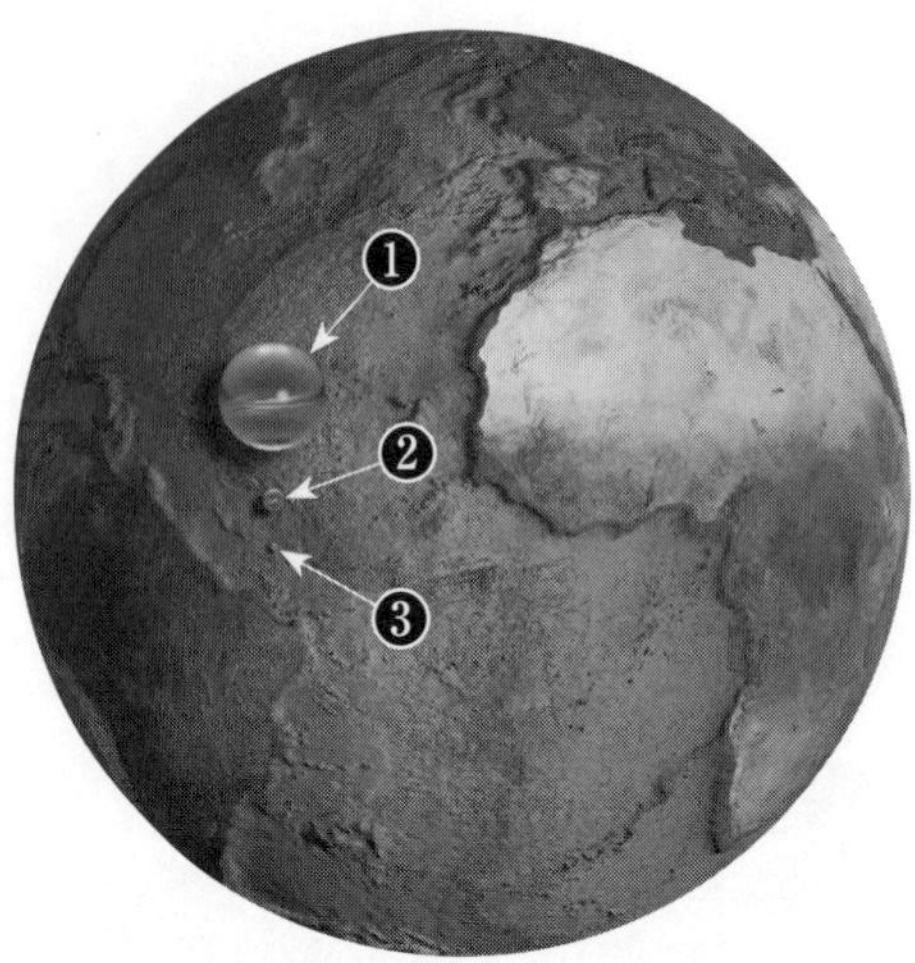

こうした水問題は万博でも大きな問題になっています。上海万博の2年前の2008年に開催されたサラゴサ国際博覧会（認定博→P116）のテーマは、ズバリ「水と持続可能な開発」。SDGsよりも7年も前に、既に万博で水の持続可能性がテーマに掲げられていたのです。

ワンポイント情報

安全な飲み水

安全な飲み水の利用とは、水道がひかれ、汚染防止の対策をした井戸などから利用できるきれいな水を意味する。川や池、雨水が入りこんでしまう井戸などから汲んだ水は、安全な水とはいえない。開発途上国では多くの人々が不衛生な水を利用しているが、それは、急速に人口が増えたり産業が急速に発展したりしている国の都市部などでは汚水を処理できず、井戸などの水質が悪化していることが多いからだ。農村部でも、トイレなどの設備が整っていないために水源を汚してしまうことが、水質悪化の原因となっている。

濁った水を汲むウガンダの少年。世界では20億人が安全な飲み水を使用できず、そのうち１億2200万人は、湖や河川、用水路など未処理の地表水を使用しているとされる（2020年時点）。

SDGsの目標9「産業と技術革新の基盤をつくろう」

この本では、万博が様々なイノベーションの展示場となってきたことに触れてきましたが、ここでイノベーションとは何か、改めてまとめておきます。

レジリエントなインフラ

SDGs目標9に出てくる「インフラ」は、英語のinfrastructureの略。「下部構造」という意味から転じて、「産業や生活の基盤として整備される施設」を指すようになりました。上下水道や電気・ガスなどの施設を始め、道路・鉄道・港湾・通信施設など、広い意味では、病院・公園・福祉施設なども含まれます。

尚、目標9のターゲット[*1]では、「レジリエント」が「インフラ」の修飾語となっています。これは「困難な状況をはねかえすくらい頑丈な、また、仮に壊れてしまっても復元・回復できるインフラ」という意味で使われています。今、世界では、自然災害が頻発。壊れてもすみやかに復旧できる「レジリエント（強靱）なインフラ」という考え方が重要になっています。

一方、「イノベーション」については、エネルギー問題、環境対策など、あらゆることでイノベーションが求められています。ドバイ万博ではその周囲の湿った空気から水をつくりだす技術が登場。[*2]これもすばらしいイノベーションですが、日本の場合、海水を淡水化する技術（左記）が注目されています。その技術が一般化され普及すれば、人類史に残るイノベーションとなるといいます。

逆浸透法による濾過を行う「RO型海水淡水化プラント」。

ワンポイント情報

海水の淡水化

世界の水不足を解消する方法の一つとして、海水の淡水化が注目されている。淡水化の方式には「蒸留式」や「逆浸透法」などがある。「蒸留式」は、海水を熱して水蒸気をつくり、ふたたび冷やして真水にする方法。できあがった淡水の塩分濃度は低いが、その工程に多量のエネルギーを用いる必要があり、効率が悪い。これに対し「逆浸透法」は、海水に圧力をかけて、逆浸透膜という濾過膜に通し、海水の塩分を取りのぞく方法。現在、1日1万㎥以上の淡水を生みだす大型の機械はほとんどこの方式を採用している。逆浸透膜の大部分が、日本製となっている。

＊1　SDGsの17個の各目標につけられている具体的目標のこと。17個の目標には、少ないもので5個、多いもので19個、合計169個のターゲットがつくられている。いいかえれば、17個の目標というのは、広い概念を示す言葉、ターゲットは目標の内容を具体的に示したもの。本書では第9章資料編で、169個の全ターゲットをわかりやすい日本語にした一覧を掲載（→P282）。

＊2　「テラ」と名づけられたサステナビリティ館（→P127）では幅130メートルの巨大な屋根に1000以上の太陽光パネルを搭載。万博の運営に必要なエネルギーの一部をまかなう。また、湿った空気から水をつくりだす技術で、やや乾燥した環境でも建物が自分で使う分の水を確保した。

5 ドバイ万博から大阪・関西万博へ

2021年のドバイ万博では、SDGsの目標達成に向けた日本の先端技術と英知を集めた新たなアイデアが創造・発信されました。

日本は既にドバイ万博で、次回の登録博の大阪・関西万博の魅力を発信するための展示を行いました。それは、大阪・関西万博のテーマである「いのち輝く未来社会のデザイン」によって逆規定されたものだといえます。

ドバイ万博の日本館

「ドバイ万博」については204〜213ページまで長く書いてきましたので、ここでドバイ万博の日本館の様子を簡単に紹介します。

日本館では、日本と中東とのつながりを表現した建物がつくられました。日本館の前に設けられた水盤はファサードを映し込む水鏡とされ、建物に吹き寄せる風を気化熱によって冷やす役割も果たすように設計されました。館内には、大阪・関西万博の概要や魅力が、趣向を凝らした展示によって伝えられました。来館者一人ひとりにスマートフォンが貸与され、「館内での行動履歴をデータ化し、その関心事に沿ってパーソナライズされたアバターが現れ、そのアバター同士が交流することで、それぞれの来館者が異なったクライマックスを体験できる」といった仕掛け[＊1]もありました。

2025年の前哨戦

また、新型コロナウイルス感染症のパンデミックの中、世界のどこからでも日本館を訪問できる「バーチャル日本館[＊2]」として、特設サイトが世界に発信されました。その結果、日本館は、世界中の人々が直面する課題やその解決に向けたアイデアをメッセージとして共有できる「オンライン・体験型プラットフォーム」となって、世界中から寄せられたメッセージを、2025年の大阪・関西万博へと継承することができました。

ドバイ万博、日本館の展示の一つ。古来からの日本の自然観をスクリーン上で表現した。

提供：2020 年ドバイ国際博覧会日本館

＊1　来館者のアバターは、アテンダントの掛け声や振り付けに合わせて展示空間内を動く来館者の動きとシンクロして動く演出となっていて、「多様な個性や感性を持つ人々が出会うことで、新しいアイデアが生まれる」というメッセージを発信することが目指された。

＊2　「バーチャル日本館」として、日本館のコンセプトムービーやコンテンツを紹介する「2020年ドバイ国際博覧会日本館特設サイト」、世界課題解決のためのアイデアを共有する「循環JUNKAN-Where ideas meet-」という二つのサイトを開設した。

1970年と2025年を比べて

日本で初めて行われた万博は、1970年の大阪万博です。6回目となる2025年大阪・関西万博までに半世紀以上が経ちます。半世紀余り前との違いは歴然としています。

日本初の大阪万博が開かれた1970年は、日本の高度経済成長期[*3]の真っ只中でした。万博の開催に併せて鉄道網や高速道路が整備され、大阪は大いに活気づきました。ところが、今は「あの頃の活気よ、もう一度」と期待は高まるものの、未だコロナ禍にあり、準備段階から半世紀余り前と大きく違っていることがわかっています。

2つの万博の最大の違いを一言でいえば、前回は日本が「成長期」にあったのに対し、今回は「成熟期」にあること！　既にインフラは日本中にいきわたり、医学や治療技術の進歩により、1970年から2019年までで、平均寿命は男性が12・1年、女性は12・79年延び、日本は世界有数の長寿国となりました。その一方で子どもの数が激減。1970年の出生数193万人に対し、2019年は86万人と100万人以上減少。増加の一途を辿る高齢者を、少ない生産年齢人口で支えなければならない社会になっているのです。2025年の出生率は、このままいくと2020年比13％減のおよそ73万人という試算もあります。

＊3　経済規模が飛躍的に継続して拡大する期間。日本では、毎年10％前後の経済成長を記録した1955年頃から1973年頃までを高度経済成長期と呼ぶ。

こうした中で、どうやって今度の万博を成功に導いていけるのでしょうか。成功の基準は、一つには来場者。もちろん採算面はいうまでもありません。それらについては次の章に譲るとして、ここでは、ズバリ、ＳＤＧｓの目標達成に万博がどのくらい貢献できるかも、大阪・関西万博が成功するかどうかの基準になると記しておきます。

成功へのカギ

もとより、このことは突然出てきた命題ではありません。ＳＤＧｓが国連サミットで採択された年（２０１５年）のミラノ万博の日本館で既にやってきましたし、その後の２０１７年のアスタナ万博（テーマは「未来のエネルギー」→Ｐ190）や２０２１年のドバイ万博でも日本はＳＤＧｓの目標達成に寄与することを発信してきています。よって、ＳＤＧｓに関係する課題を大阪・関西万博がクリアできる可能性は十分にあるといえるでしょう。

2025年、大阪・関西万博の舞台となる夢洲。

万博とSociety 5.0

そもそも世界初の万博である1851年の第1回ロンドン万博（→P30）は、18世紀末にイギリスで始まった産業革命後の必然的な出来事でした。

人類の文明史の画期的な出来事

人類の文明史に画期を成した大きな事件とは、一般的に、一つは紀元前8000年頃にメソポタミア地方で農耕が始まったこと（農業革命）、そしてもう一つが、18世紀イギリスで起こった産業革命[*1]だとされています。「産業革命」は、農耕社会から工業社会への移行と社会の「工業化」の始まりです。その後の工業化を支えたのが、科学技術でした。

工業化は、その後、アメリカ、日本、ロシアなどにも拡大し、20世紀も後半になると、中国、韓国、東南アジアなどにも広がります。ところが近年では、人類は工業社会から次の社会に突入したと考えられています。「情報社会[*2]」です。この社会では、人は大量の情報から必要なものを見つけだし、分析する作業で大半を過ごしているのです。

Society（ソサエティ）5.0の実現

まとめていうと、ここまでの人類社会は、狩猟社会（Society 1.0）、農耕社会（Society 2.0）、工業社会（Society 3.0）、情報社会（Society 4.0）へと発展してきました。ところが、日本の内閣府は、日本が目指すべき未来社会の姿として、情報社会の次の段階の社会として「Society 5.0」なるものを提唱したのです。

内閣府によると、「Society 5.0」は、「サイバー空間（仮想空間）とフィジカル空間（現実空間）を高度に融合させたシステムにより、経済発展と社会的課題の解決を両立する、人間中心の社会（Society）を指すもので、第5期科学技術基本計画において我が国が目指すべき未来社会の姿」とのこと。実は、そうしたSociety 5.0を、今日本は、世界に向けて大阪・関西万博の準備段階からアピールしてきているのです。

ワンポイント情報

日本が求めるSociety 5.0

Society 3.0が「工業社会」、Society 4.0は「情報社会」と日本語が付けられているが、Society 5.0には日本語がまだつけられていない。どんな社会だろうか？

その未来社会では、IoT（アイオーティー）(Internet of Things)[＊3]ですべてのモノがつながり、様々な知識や情報が共有され、今までにない新たな価値を生みだすことで、様々な課題や困難を克服できるという。また、人工知能(AI)により、必要な情報が必要なときに提供されるようになり、ロボットや自動走行車などの技術で、少子高齢化、地方の過疎化、貧富の格差などの課題が克服されることが期待されているのだ。さらに、社会の変革(イノベーション)により、これまでの閉塞感を打破し、希望のもてる社会、世代を超えて互いに尊重し合える社会で、一人ひとりが快適で活躍できる社会でもあるとされる。サイバー空間(仮想空間)とフィジカル空間(現実空間)を高度に融合させたシステムにより、経済発展と社会的課題の両方の課題が同時に解決されるとも。

＊1　18世紀後半の英国に始まった、蒸気機関の開発など技術の革新による産業・経済・社会の大変革のこと。

＊2　工業社会(Society 3.0)ではモノの製造や流通が価値を持っていたのに対して、コンピュータや通信技術の発展に伴い、情報に価値を認め情報の収集・伝達・処理が経済や産業の主要な要素となる社会。Society 4.0とも呼ばれる。

＊3　パソコンやスマートフォンの他冷蔵庫やエアコン、テレビや自動車など様々なモノがネットワークを通じてつながること。遠隔からの状況確認や操作が可能となり生活の利便性が高まるといわれる。

第7章 2025年大阪・関西万博への道

1　大阪・関西万博の開催概要

2025年日本国際博覧会（大阪・関西万博）の開催期間は、2025年4月13日〜10月13日の184日間で、開催場所は大阪・夢洲（ゆめしま）です。

提供：2025年日本国際博覧会協会

開催地と開催時期　「夢洲」[*1]は、大阪湾に浮かぶ人工島の一つで、総面積390ヘクタールのうち、155ヘクタールが大阪・関西万博の会場予定地になりました。世界とつながる海と空に囲まれた万博として、このロケーションを生かした企画や発信を

＊1　1970年代に、ごみの処分場として整備された人工島。80年代には湾岸開発が進められ、6万人の住宅地建設が計画されたものの、バブル崩壊により頓挫。90年代には、大阪市が2008年夏季オリンピックの招致を表明し、夢洲に選手村が置かれることになったが、最終的に開催地は北京に決定、またも頓挫。そのため夢洲は一時「負の遺産」と呼ばれたこともあったが、大阪・関西万博誘致成功により再び注目され始めた。

大阪・関西万博会場（夢洲）のイメージ図。

行っていくことになっています。大阪・関西万博の来場者数は、約２８２０万人が見込まれています。

この万博が開催される２０２５年は、ＳＤＧｓ（エスディージーズ）の目標年２０３０年まで残り5年となる重要な年です。ＳＤＧｓの目標達成への貢献が大阪・関西万博の開催目的の一つになっており、日本国内だけでなく海外からも期待されています。

会場デザイン

夢洲の万博会場は次のように構成されます。会場西側のエリアは、屋外イベント広場やエントランス広場、交通ターミナルなどがある開けた空間です。中央はパビリオンなどの施設が集まるエリアで、主動線となるリング状のメインストリートからすべてのパビリオンにアクセスできます。また、メインストリートの上部には、1周2キロメートル・幅約30メートル・高さ約12メートルの巨大なリング状の大屋根が設置され、この大屋根の空中歩廊からは、瀬戸内の海を眺めることができます。また、南側のエリアは、飲食施設などを配置する憩いのエリアとなっており、水上イベントの舞台にも利用される予定です。

屋外イベント広場のイメージ。　提供：2025年日本国際博覧会協会

会場中央に建設される、環状の大屋根（リング）の外観イメージ。木材を組み合わせたもので、世界最大級の木造建築物になる。　提供：2025年日本国際博覧会協会

大屋根（リング）の空中歩廊のイメージ。大屋根の上と下は、来場者が歩行できるように設計されている。　提供：2025年日本国際博覧会協会

大阪・関西万博に期待できること

この万博による日本経済や大阪・関西の地域経済の活性化、ビジネス機会の拡大により、経済波及効果は2兆円と見込まれています。そして……。

経済波及効果

実際、過去に日本で開催された5回の万博のうち大阪万博、沖縄海洋博、つくば万博、愛・地球博の際、株価が大きく上昇しました。反対に株価を下げたのは、1990年の花の万博のみでした。しかし、当時は開催前の1989年12月に史上最高値を記録するほどの株価が年明けから崩れて大幅下落、バブル崩壊（→P182）へと向かうタイミングだったことを考慮しなくてはなりません。

こうした経験に鑑み、2025年にも大きな経済波及効果が期待されているのです。

もう一つ期待できること

大阪・関西万博で期待されていることに、最先端科学技術の実験が挙げられます。例えば「空飛ぶクルマ[*1]」！　また、「リアルとバーチャルを融合した未来のエンターテインメントの実現」といった技術も、既に実証実験で成功しています。

このように、各国の様々な最新技術が集まる万博には、世界中の期待が寄せられています。しかも、そうした技術やイノベーション（↓P214）は、SDGsの目標達成に大きく貢献するものとして期待されています。

＊1　電動化、自動化といった航空技術や垂直離着陸などの運航形態によって実現される、次世代の空の移動手段。大阪・関西万博では、商用運航も視野に入れて協議されている。また、夢洲と大阪府内の４か所を結ぶ飛行ルートが想定されている。空飛ぶクルマを運航する事業者は次の４つ。
・ANAホールディングスとJoby Aviation（アメリカ）
・日本航空（JAL）
・丸紅
・SkyDrive
使用する機体はそれぞれ異なるが、いずれの事業者も機体は２～５人乗りとなる予定。

「空飛ぶクルマ」の実現に向け、経済産業省と国土交通省は「空の移動革命に向けた官民協議会」を設立。制度整備や、技術開発に関する議論を進めている。
出典：経済産業省ウェブサイト（https://www.meti.go.jp/policy/mono_info_service/mono/robot/181220uamroadmap.html）を加工して作成

2 大阪・関西万博のテーマ

繰り返しますが、この万博のテーマは「いのち輝く未来社会のデザイン」ですが、「いのち」を考える3つのサブテーマが重要です。

この万博には、次のサブテーマが設けられています。

「いのちを救う Saving Lives」、「いのちに力を与える Empowering Lives」、「いのちをつなぐ Connecting Lives」。

Livesの意味

英語のLivesには、「生活」や「人生」の意味がありますが、日本語のサブテーマでは「いのち」という言葉が使われています。しかも、この「いのち」は、人間だけではなく、生物や自然など、あらゆるものについていっているのです。

・いのちを救う：自然との共生の他、感染症対策や、防災・減災の取り組みなども含まれている。

・いのちに力を与える：生活を豊かにしたり、可能性を広げたりすることに焦点を当てたもの。例えば、情報通信技術を活用して質の高い遠隔教育[*1]を提供したり、スポーツや食を通じて健康寿命をのばしたり、AI（エーアイ）（人工知能）やロボッ

＊1 広い意味では、テレビやラジオ、郵便などを利用した通信教育も含むが、近年では情報通信技術（ICT）を利用した「オンライン教育」と同じ意味で使用されることが多い。遠隔教育（オンライン教育）では、スマホやパソコンなどを使用し、インターネットを通して、場所や時間にとらわれることなく授業を受けることができる。大きく2つの方法があり、生配信のような配信方法（同時双方型）と、録画した授業を配信（オンデマンド型）する方法がある。

ト工学を活用して人間の可能性を拡張したりすることなどが挙げられている。

・いのちをつなぐ：一人ひとりがつながることでコミュニティを形成し、豊かな社会をつくることを目標としたもの。このサブテーマの中では、パートナーシップや情報通信技術によるコミュニケーションの進化などが具体的なキーワードとして挙げられている。

「いのち」と向き合う

近年、日本でも格差や対立の拡大、長寿化などが大きな問題になっています。そうした中で、大阪・関西万博は、参加者それぞれに対し「幸福な生き方とは何か」を問う初めてのものになるといわれています。また、２０２０年初頭から広まった新型コロナウイルス感染症は世界中に大きな影響を与えましたが、大阪・関西万博が、この危機を乗り越えた先にある新たな時代（with コロナ[*2]）に向け、自分と他者、あらゆる「いのち」に向き合う持続可能な社会を模索する場所になると期待されているのです。

＊2　新型コロナウイルスのパンデミックが長期化し、今後も流行する可能性が高いと予想されたことから、新型コロナとの「共存」、「共生」という意味で使用されるようになった俗語。

大阪・関西万博の理念とは？

「2025年日本国際博覧会協会」[*1]が「大阪・関西万博」について、どのように考えているのか、ここでは、発表された考え方をそのまま紹介します。

理念とテーマ事業の考え方

私たちのいのちは、この世界の宇宙・海洋・大地という器に支えられ、互いに繋がりあって成り立っている。その中で人類は、環境に応じて多様な文化を築き上げることにより、地球上のいたるところに生活の場を拡大した。その一方で、人類は、利己を優先するあまり、時として、自然環境をかく乱し、さらには同じ人類の他の集団の犠牲の上に、不均衡な社会を作り上げてきてしまったのも事実である。そして今、生命科学やデジタル技術の急速な発達にともない、いのちへの向き合い方や社会のかたちそのものが大きく変わりつつある。いのちそのものを改編するまでの高度な科学を築き上げた私たちには、人類が生態系[*2]全体の一部であることを真摯に受けとめるとともに、自らが生み出した科学技術を用いて未来を切り開く責務があることを自覚し、行動することが求められる。自然界に存在するさまざまないのちの共通性と相違性を認識し、他者への共感を育み、また多様な文化や考えを尊重しあうことによって、ともにこの世界を生きていく。そうすることによって、私たち人類は、地球規模でのさまざまな課題に対して新たな価値観を生み出し、持続可能な未来を構築することができるにちがいない。このような信念に基づいて開催しようとする2025年大阪・関西万博は、2020年以来、新型コロナウイルス感染症の地球規模での拡大という未曾有の局面に立ち会うことになった人類にとって、このような局面だからこそ見えてくる人類の可能性を確認しあい、新たないのちのありようや社会のかたちを検証し提案する、2度とない機会を提供する場となった。2025年日本国際博覧会協会は、一人ひとりが互いの多様性を認め、「いのち輝く未来社会のデザイン」を実現するため、以下の8つのテーマ事業（→P236・237）を設定することとした。[＊3]（中略）

これらのテーマ事業から得られる体験は、人びとにいのちを考えるきっかけを与え、創造的な行動を促すものとなるに違いない。他者のため、地球のためにに、一人ひとりが少しの努力をすることをはじめる。その重なり合い、響きあいが、人を笑顔にし、ともに「いのち輝く未来社会をデザインすること」につながっていく。世界の人びとと、「いのちの賛歌」を歌い上げ、大阪・関西万博を「いのち輝く未来をデザインする」場としたい。

これは、いのちを起点に、世界の人びとと未来を共創する挑戦にほかならない。

公益社団法人2025年日本国際博覧会協会(同協会ホームページより)

＊1　正式名は「公益社団法人2025年日本国際博覧会協会」。2019年1月に設立、事務所を大阪府大阪市に置く。当協会は、「本博覧会の準備及び開催運営を行い、博覧会を成功させることをもって国際連合の掲げる持続可能な開発目標（SDGs）の達成に貢献するとともに、我が国の産業及び文化の発展」を目指す、としている。

＊2　地球には1000万種を超える生物が存在するとされ、その一つひとつが他の生物とかかわり合いながら暮らしている。こうしたあらゆる生物と、それらが生きる自然環境を含めた全体を「生態系」という。

＊3　各界で活躍する8人のプロデューサーが、8つのテーマを一つずつ担当。各テーマに合わせたパビリオン（シグネチャーパビリオン）をつくり、イベントを開催する。この取り組みを**「シグネチャープロジェクト（いのちの輝きプロジェクト）」**（→P234）という。

「シグネチャープロジェクト（いのちの輝きプロジェクト）」8つのテーマ

テーマ	テーマ詳細	担当プロデューサー	プロフィール
いのちを知る	生命系全体の中にある私たちの「いのち」のあり方を確認する。	福岡 伸一	1959年、東京都出身。生物学者、作家。京都大学卒、同大学院博士課程修了。現在、青山学院大学教授。ロングセラー『生物と無生物のあいだ』（講談社）や、『動的平衡』（木楽舎）シリーズなど、〝生命とは何か〟を問い直した著作を数多く発表している。
いのちを育む	宇宙・海洋・大地に宿るあらゆる「いのち」のつながりとダイナミズムを感じ、共に守り育てる。	河森 正治	1960年、富山県出身。アニメーション監督、メカニックデザイナー。代表作に『マクロス』シリーズ、『アクエリオン』シリーズなど多数。アニメ作品のみならず、舞台やVRなど幅広い分野で活躍している。
いのちを守る	危機に瀕し、人類は「分断」を経験する。「わたし」の中の「あなた」を認めるいとなみの行方に、多様ないのちが、それぞれに、護られてゆく未来を描く。	河瀬 直美 ©LESLIE KEE	1969年、奈良県出身。映画作家。生まれ育った奈良を拠点に映画を創り続け、一貫した「リアリティ」の追求による作品創りはドキュメンタリー、フィクションの域を超え、カンヌ映画祭をはじめ国内外で高い評価を受ける。2018年「東京2020オリンピック」公式映画監督に就任。ユネスコ親善大使も務める。
いのちをつむぐ	自然と文化、人と人とを紡ぐ「食べる」という行為の価値を考え、日本の食文化の根幹にある「いただきます」という精神を発信する。	小山 薫堂	1964年、熊本県出身。放送作家、脚本家。「料理の鉄人」「カノッサの屈辱」などテレビ番組を多数企画。2008年、初の映画脚本「おくりびと」で、第32回日本アカデミー賞最優秀脚本賞、第81回米アカデミー賞外国語部門賞を獲得した。京都館館長、京都芸術大学副学長も務める。

テーマ	内容	氏名	略歴
いのちを拡げる	新たな科学技術で人や生物の機能や能力を拡張し、「いのち」を広げる可能性を探求する。	石黒 浩	1963年、滋賀県出身。ロボット工学の第一人者。大阪大学教授、ATR石黒浩特別研究所客員所長を務める。2011年、大阪文化賞受賞。2015年、文部科学大臣表彰受賞およびシェイク・ムハンマド・ビン・ラーシド・アール・マクトゥーム知識賞受賞。2020年、立石賞受賞。
いのちを高める	遊びや学び、スポーツや芸術を通して、生きる喜びや楽しさを感じ、ともにいのちを高めていく共創の場を創出する。	中島 さち子	1979年、大阪府出身。ジャズピアニスト、数学研究者、STEAM（スチーム）[*1]教育者。株式会社steAm CEO、社団法人steAm BAND代表理事。東京大学理学部数学科卒。高校2年生の時、国際数学オリンピックで金メダルを獲得。経済産業省や文部科学省の教育変革にかかわる委員会などに多数所属している。
いのちを磨く	自然と人工物、フィジカルとバーチャルの融和により、自然と調和する芸術の形を追求し、新たな未来の輝きを求める。	落合 陽一 © 蜷川実花	1987年、東京都出身。メディアアーティスト。東京大学大学院学際情報学府博士課程修了（学際情報学府初の早期修了）、博士（学際情報学）。筑波大学デジタルネイチャー開発研究センターセンター長、准教授。ベンチャー企業や一般社団法人の代表を務めるほか、メディアアーティストとして個展も多数開催している。
いのちを響き合わせる	個性あるいのちといのちを響き合わせ、「共鳴するいのち」を共に体験する中で、一人ひとりが輝くことのできる世界の模式図を描く。	宮田 裕章	1978年、岐阜県出身。慶應義塾大学医学部教授。専門はデータサイエンス、医療政策。2003年、東京大学大学院医学系研究科健康科学・看護学専攻修士課程修了。同分野保健学博士（論文）。

＊1「科学（Science）」、「技術（Technology）」、「工学・ものづくり（Engineering）」、「芸術（Art）」、「数学（Mathematics）」の5つの学問分野の頭文字を合わせた造語。理系、文系といった枠組みを超えて横断的に学ぶことで、問題を発見、解決する力を養う学習のことをいう。

3 大阪・関西万博が目指すもの

日本では既にSociety 5.0（→P220）の実現が試みられてきましたが、実は大阪・関西万博は、その社会に向けた実証の場になることを目指しているのです。

SDGs＋beyond

大阪・関西万博はSDGsの達成への貢献が期待されているわけですが、SDGsの達成期限は2030年までとされています。そのため大阪・関西万博では、2030年以降の未来、即ち、SDGs達成のあとの「SDGs＋beyond（SDGsの先の未来）」も見据えた取り組みを行う予定です。

例えば会場全体が様々な企業や大学、公的機関などによる未来社会を先取りした新たな技術を備えた「Society 5.0実現型会場」とされ、そこでは、再生可能エネルギーの活用や、空飛ぶクルマ（→P229）、人と共存するロボット、自動翻訳などの技術が展示されるといいます。実は、こうした「Society 5.0実現型会場」で繰り広げられる「いのち輝く未来社会のデザイン」のテーマの下で行われるすべての活動は、多様性[*1]や包摂性[*2]のある持続可能な社会を実現することを最終目的とするSDGsと合致しているのです。

＊1 「異なる多くの人や物の集まり」のこと。ダイバーシティ（Diversity）ともいう。異なる多くの生物が存在することを指す「生物多様性」のほか、人に限れば、性別・年齢・国籍などの属性や、価値観やライフスタイルといった思考についてなど、幅広いジャンルにおいて語られることが多い。

＊2 「ある範囲内に包み込む」こと。インクルージョン（Inclusion）ともいう。近年では、多様性（Diversity）と包摂性を合わせた、「ダイバーシティ&インクルージョン（D&I）」が注目されている。D&Iとは、「多様性を大切にし、すべての人が力を発揮できるように

2030年を前に

　このことを逆からいうと、SDGsの目標年である2030年の5年前に開催される大阪・関西万博は、SDGs達成に向けたこれまでの進捗状況を世界の人々が確認し合い、その達成に向けた取り組みを加速させる絶好の機会となるわけです。

　つまり、大阪・関西万博が目指すものとは、2025年の万博が、人類がSDGsの目標を達成し、SDGs+beyondへ飛躍する機会となることといえます。

今後、移動手段が自動車ではなく別の乗り物になれば、自動車の交通量が減少。大阪・関西万博から12年を経た2037年に100周年を迎える大阪・御堂筋では、このタイミングで完全歩行者空間にしようという計画を立てているという（画像はイメージ）。　提供：大阪市建設局

環境を整えたり、働きかけたりしていこう」という考え方のこと。企業などが「D&Iを推し進めることで業績を伸ばそう」というように、多様性を力に変えよう、といった意味で使われる。こうしたD&Iの考え方や取り組みは、SDGsの基本理念「誰一人取り残さない」と重なるため、SDGsの広まりとともに、D&Iの重要性も高まっていくとされている。

4 大阪・関西万博の3つの取り組み

大阪・関西万博を前にして、「世界との共創」「テーマ実践」「未来社会の実験場」の3つの取り組みが、会場内外で既に行われています。

3つの実践のうちの2つ、「テーマ実践」（→P230）と「未来社会の実験場」（→P236）については既に見てきましたので、ここでは「世界との共創」について記します。

「世界との共創」とは

これは、一つには、参加する世界の国々や企業・団体などが新たなモノやサービス、技術やシステムを持ち寄って「共に」行い、皆で「創っていく」こと。世界の国々や企業・団体などが行うものですから、とても大きな取り組みになります。そのため2025年日本国際博覧会協会が「公式参加者は『いのち』について各国が展示するトピックスを設定する際の視座として、サブテーマである3つのLives（→P230）から一つ以上を選択、さらにSDGsの掲げる17の目標のいずれか一つ以上に取り組む」と説明しています。

一方で、今回の万博では、開催前から一般の参加者が一緒に行う「共創」というものもあります。それが既に行われている「TEAM EXPO（チーム エクスポ） 2025」[*1]プログラムです。そのプログラムについては、同協会は次のように説明しています。

・会期前より2025年に向けて、大阪・関西万博のテーマを実現し、SDGsの達成に貢献するために、多様な参加者が主体となり、理想としたい未来社会を共に創り上げることを目指す取組である。

・このプログラムでは、国内外において大阪・関西万博のテーマの実現に向けた様々なアイデアやノウハウを持ったチームによる主体的な取組を募集・支援していくとともに、テーマを軸として多くの実践者や有識者が議論を行うテーマフォーラムを開催し、テーマの浸透・発信を行う。

2021年6月、博覧会協会と経済産業省が大阪・関西万博への理解を深め、「TEAM EXPO 2025」プログラムへの参加者を募るためにトークイベントを開催。皆で共に創り上げていくことを目指し、広く参加を呼びかけた。　提供:2025年日本国際博覧会協会

＊1　大阪・関西万博のテーマ「いのち輝く未来社会のデザイン」を実現し、SDGsの達成に貢献するために、多様な参加者が主体となり、理想としたい未来社会を共に創り上げていくことを目指す取り組みのこと。

同協会は、２０２０年10月から「TEAM EXPO 2025」プログラムの参加者を一般から募っています。しかも、参加したいと思う人は誰でも応募できるという募集なのです。[*1]

みんながつくる

具体的には、同協会が大阪・関西万博のテーマの実現に向けた様々なアイデアやノウハウを持つチームの参加を募集しています。内容は、次のとおりです。

・「TEAM EXPO 2025」プログラムの参加方法は２つあり、「共創チャレンジ」と「共創パートナー」である。

・「共創チャレンジ」とは、大阪・関西万博のテーマである「いのち輝く未来社会のデザイン」を実現するため、自らが主体となって未来に向けて行動を起こしている、または行動を起こそうとしているチームの活動のことである。

・「共創パートナー」とは、当プログラムに賛同いただき、自らが主体的かつ継続的に当プログラムに合った独自の活動を展開していただくことで、多様な共創チャレンジの創出・支援を担っていただく法人・団体のことである。

・「TEAM EXPO 2025」プログラム参加状況（２０２３年４月末時点）
共創チャレンジ登録数 １０９５件／ 共創パートナー登録数 ３００団体。

＊1 「共創チャレンジ」では、個人グループの活動（２人以上）や、企業・団体によるプロジェクト等の登録ができる。万博のテーマの実現、もしくはＳＤＧｓの目標達成にかかわる活動であれば、分野を問わずいくつでも登録可能。「共創パートナー」は、自らのリソースを提供して共創チャレンジを支援したり、新しい共創チャレンジを生み出したりする法人・団体のことで、取り組み内容を博覧会協会と協議したうえで登録される。「共創チャレンジ」「共創パートナー」に登録すると、「TEAM EXPO 2025」プログラム専用ロゴの使用が可能になる。また、活動の進捗状況、イベントの告知

TEAM EXPO 2025
みんながつくるワクワクが、きっと未来の社会にかわる

ワクワクはまだ見えないことに、胸がさわいで心がおどること。
それはいのちを輝かせるためのエネルギー。

ワクワクした人たちがワクワクすることを実現していくために共創する。
TEAM EXPO 2025はさまざまな人たちがチームとなり、多彩なチームと活動で万博とその先に未来に挑む、みんながつくる参加型プログラムです。

大阪・関西万博に向けて、いろんなメンバーと一つでも多くの身のまわりの課題を解決して「あ！ちょっと社会が良くなった！」というワクワク体験を増やしていきましょう。

ワクワクする体験の積み重ねがたくさんの問題を解決して、
いのち輝く未来社会のデザインの実現につながると考えています。

そして、世界中のその体験の集合体が2025年の大阪・関西万博。
つまり、万博を「あ！ちょっと世界が良くなった体験」祭にしたいと思っています。

「つくろう。みんなで。EXPO 2025」リーフレット（A3・両面）　「つくろう。みんなで。EXPO 2025」ちらし（A4・片面）

「TEAM EXPO 2025」プログラムのホームページ（https://team.expo2025.or.jp/ja/about）。

などを当プログラムの公式ＨＰで発信することもできる。

5 パビリオンとSDGs

大阪・関西万博では、パビリオンを出展する場合、SDGsの17の目標のうちどれと結びついているのかを明確にしなければならないといいます。

「公式参加パビリオン」とは

公式参加パビリオン[*1]は、大屋根（リング→P227）の内側に配置され、万博のサブテーマ、「Saving Lives（いのちを守る）」、「Empowering Lives（いのちに力を与える）」、「Connecting Lives（いのちをつなぐ）」の3つに分けられます（→P230）。

238ページに記したとおり、公式参加者は3つのサブテーマから1つ以上を選び、SDGsの目標のいずれか1つ以上に取り組まなければならないとされています。

民間パビリオン

1970年の大阪万博では、世界の国々が国として出展した大きなパビリオンと並んで、民間のパビリオンが出展されて大きな盛り上がりを見せました。民間のパビリオンでは、様々な企業・団体が独自の発想で時代を反映した魅力あふれる展示を行ったのです。

今回の「大阪・関西万博」では、これからの日本の進む道を提案するような企業・

＊1　2023年3月24日時点で、153か国・地域、8国際機関が参加を表明。他に、次のパビリオンが出展予定。**シグネチャーパビリオン**：8人のテーマプロデューサー（→p234）が企画するパビリオン。「いのち」に関連するテーマをそれぞれ設定、企画する。**日本政府館**：日本政府（経産省）が企画するパビリオン。「いのちと、いのちの、あいだに -Between Lives-」のテーマのもと企画。**自治体館**：自治体等が企画するパビリオン。大阪府・市が連携し、「大阪パビリオン」を出展予定。**民間パビリオン**：企業・団体が自由に企画するパビリオン。

団体がＳＤＧｓと絡めたパビリオンをつくって参加するこ
とになっています。

そうした民間パビリオンは「未来社会を感じさせて
る『夢』であり、工夫を凝らした展示や演出によっ
動を与えてくれる『華』である」と期待されています。

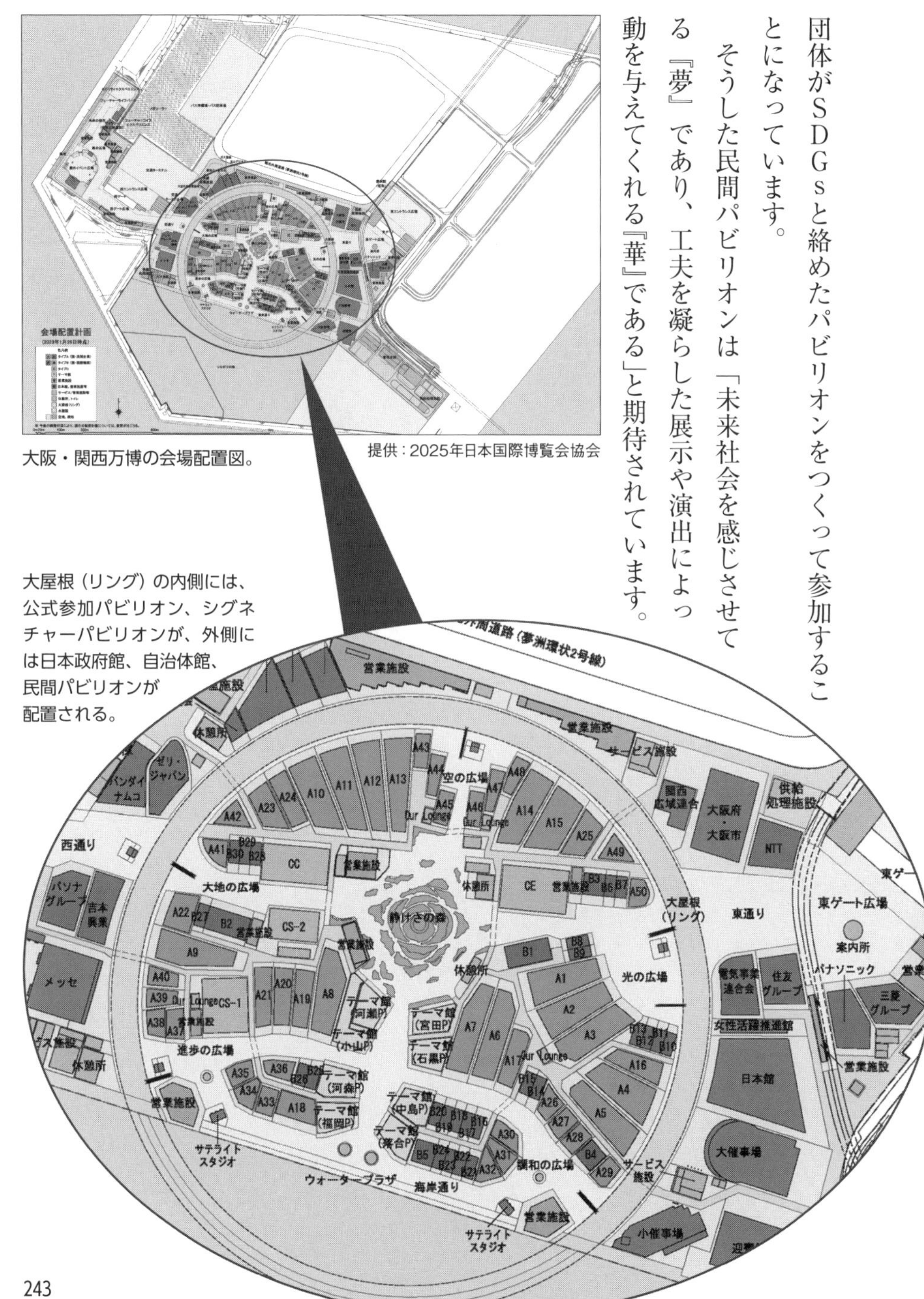

大阪・関西万博の会場配置図。

提供：2025年日本国際博覧会協会

大屋根（リング）の内側には、公式参加パビリオン、シグネチャーパビリオンが、外側には日本政府館、自治体館、民間パビリオンが配置される。

第8章 SDGsを理解する

1 そもそもSDGsとは

「持続可能な開発目標」は、英語の Sustainable Development Goals を訳した言葉です。その頭文字をとって「ＳＤＧｓ」と記します。今や常識？

読み方は「エス・ディー・ジーズ」

今や常識となっているＳＤＧｓ！「エス・ディー・ジーエス」と読んでいる人もいます。最後の「ｓ」は、Goal「目標」が複数あることを示す複数形の「ｓ」です。

「持続可能」という言葉は、近年、あちこちで使われています。この言葉の意味は「将来にわたって持続的・永続的に活動できること」。では、何を持続可能（続けていけるよう）にしようというのでしょうか？

答えは、ずばり「人類」であり、「世界」「地球」でもあります。今、人類は、数えきれない深刻な問題を抱え、このままいくと世界は続けていけない（持続不可能）と心配されています。だから、世界の国が集まる国連の会議で話し合いが重ねられた結果、２０１５年に「ＳＤＧｓ」という目標（ゴール）を決めて、世界中の国が、２０３０年までに目標（ゴール）を達成しようと約束し合ったのです。

SDGsは、ゴールの数が全部で17個掲げられました。また、それぞれに「ターゲット」と呼ばれる具体的な目標が、およそ10個ずつ合計169個つくられました。「目標（ゴール）」は大きな最終目標のことで、「ターゲット」は、具体的目標という意味です。ただし「ターゲット」は「めじるし」といったほうが適しているかもしれません。

目標とテーマ

ここで特筆すべきことがあります。17個の目標番号とイラストで示されたロゴマークの中に記された短い文が、目標を書いたものだと思われていること。違います。ロゴマークに記された短文は、万博のテーマと同様、「テーマ」といっています。即ち、標語のようなものなのです。目標（ゴール）を表す文は、比較的長く書かれたものです。17のテーマを知って、目標（ゴール）をわかったつもりでいるようでは、困ります。次のページに17個の目標（ゴール）を表す文をまとめておきます。

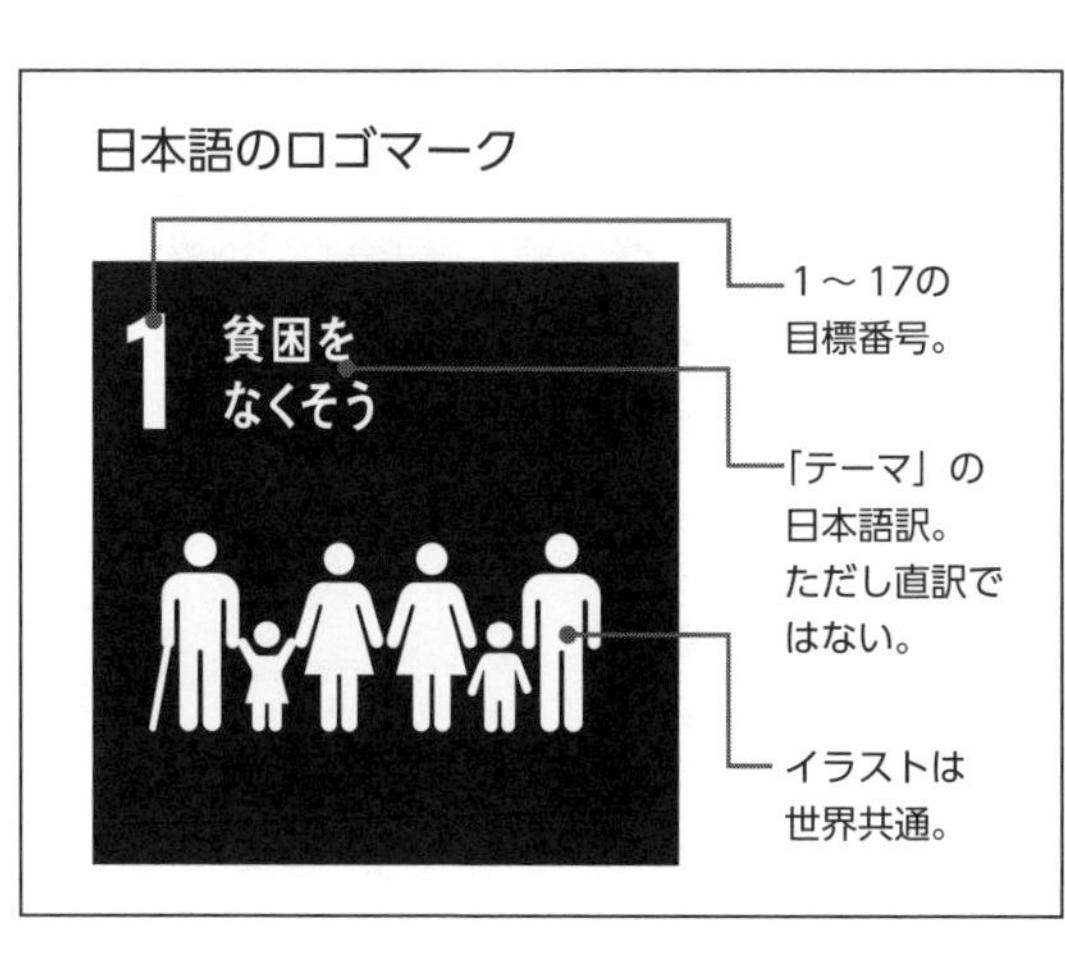

SDGs17個のテーマと「最終目標」

テーマ　貧困をなくそう

目標(ゴール)　あらゆる場所のあらゆる形態の貧困を終わらせる。

テーマ　飢餓をゼロに

目標(ゴール)　飢餓を終わらせ、食料安全保障及び栄養改善を実現し、持続可能な農業を促進する。

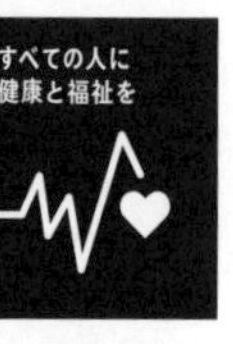

テーマ　すべての人に健康と福祉を

目標(ゴール)　あらゆる年齢のすべての人々の健康的な生活を確保し、福祉を促進する。

テーマ　質の高い教育をみんなに

目標(ゴール)　すべての人々への包摂的(ほうせつてき)かつ公正な質の高い教育を提供し、生涯学習の機会を促進する。

5 ジェンダー平等を実現しよう

テーマ　ジェンダー平等を実現しよう

目標(ゴール)　ジェンダー平等を達成し、すべての女性及び女児の能力強化を行う。

テーマ　安全な水とトイレを世界中に

目標(ゴール)　すべての人々の水と衛生の利用可能性と持続可能な管理を確保する。

7 エネルギーをみんなにそしてクリーンに

テーマ　エネルギーをみんなにそしてクリーンに

目標(ゴール)　すべての人々の、安価かつ信頼できる持続可能な近代的エネルギーへのアクセスを確保する。

テーマ　働きがいも経済成長も

目標(ゴール)　包摂的かつ持続可能な経済成長及びすべての人々の完全かつ生産的な雇用と働きがいのある人間らしい雇用(ディーセント・ワーク)を促進する。

テーマ　産業と技術革新の基盤をつくろう

目標（ゴール）　強靱（きょうじん）（レジリエント）なインフラ構築、包摂的かつ持続可能な産業化の促進及びイノベーションの推進を図る。

テーマ　人や国の不平等をなくそう

目標（ゴール）　各国内及び各国間の不平等を是正する。

テーマ　住み続けられるまちづくりを

目標（ゴール）　包摂的で安全かつ強靱（レジリエント）で持続可能な都市及び人間居住を実現する。

テーマ　つくる責任つかう責任

目標（ゴール）　持続可能な生産消費形態を確保する。

テーマ　気候変動に具体的な対策を

目標（ゴール）　気候変動及びその影響を軽減するための緊急対策を講じる。

テーマ　海の豊かさを守ろう

目標（ゴール）　持続可能な開発のために海洋・海洋資源を保全し、持続可能な形で利用する。

15　陸の豊かさも守ろう

テーマ　陸の豊かさも守ろう

目標（ゴール）　陸域生態系の保護、回復、持続可能な利用の推進、持続可能な森林の経営、砂漠化への対処、ならびに土地の劣化の阻止・回復及び生物多様性の損失を阻止する。

16　平和と公正をすべての人に

テーマ　平和と公正をすべての人に

目標（ゴール）　持続可能な開発のための平和で包摂的な社会を促進し、すべての人々に司法へのアクセスを提供し、あらゆるレベルにおいて効果的で説明責任のある包摂的な制度を構築する。

17　パートナーシップで目標を達成しよう

テーマ　パートナーシップで目標を達成しよう

目標（ゴール）　持続可能な開発のための実施手段を強化し、グローバル・パートナーシップを活性化する。

2 このままでは人類は「持続不可能」になる！

世界で最も深刻な問題は何？　「地球温暖化」「環境汚染」「エネルギー」「食料・飢餓」「貧困」「感染症」「人権」「核」でしょうか。

化石燃料がなくなる！

これまで人類は、石油や石炭、天然ガスなどの化石燃料を地下から掘り出し、それらを燃やしてエネルギーをつくってきました。でも、地球に埋まっている化石燃料は、このまま掘り進めていくと近い将来なくなってしまうと予測されています（→P209）。今後、新たな油田や炭鉱の発見、技術革新やイノベーションによって、この数字は変わっていく可能性はありますが、化石燃料がいつかは尽き果ててしまう「限りある資源」であることには変わりはありません。

迫られる地球温暖化対策

世界が持続不可能になる理由としては、エネルギー資源以外にもたくさんあります。なかでも近年とくに問題になっているのが「地球温暖化問題」。日本では、極端に強い雨や猛烈な台風などが、地球温暖化に伴って増加してきたといわれていますが、世界中で地球温暖化により何かしら深刻な問題が起きています。地球温暖化対策を急いでやらなければ、人類は、世界は、地球はやっていけなく（持続不可能）なってしまいます。

世界中の海を浮遊しているとされるマイクロプラスチック。

ワンポイント情報

プラスチックごみの問題とマイクロプラスチック

身の周りには、ペットボトルやシャンプーなどの容器、食品を冷蔵庫に保存しておくための容器など、プラスチック製品がたくさんある。近年、それらがごみとなって、海を汚していることが世界的に大きな問題になっている。プラスチックは様々な形に加工でき、しかも安く製造できて丈夫、とても便利なもの。ところがプラスチックは石油から人工的につくられる物質で、長い時間がたっても、分解されて自然にかえることはない。きちんと焼却したり、リサイクルしたりしなかったプラスチックごみが海に流れ込んだ場合、砕けて小さくなる。大きさが5ミリメートルより小さくなったマイクロプラスチックを魚が「えさ」と間違えて食べ、その魚を人間が食べてしまうと健康被害が起こる可能性があることが問題にされているのだ。

3 SDGsができるまで

SDGsの前にMDGs(エムディージーズ)*1があったことは何度か触れてきましたが、ここでもう一度確認してみましょう。

国連サミットで採択されたというが

SDGsが2015年の国連で採択されたことは、よく知られています。採択されたのはその場でしたが、それに至るまで何十年もの間に行われてきた様々な議論や合意に基づいたものでした(MDGsもその中にあった)。

実は、それまで長い時間をかけてそれぞれで議論されてきた、開発、保健・衛生、教育、労働、ジェンダー、環境、人権などの課題は、どれも他の課題と複雑に関連していて分けて考えることができないといわれるようになっていました。SDGsは、そうした中で出てきた、人類全体の目指すべき新たな、そして大きな目標として打ち出されたものだったのです。

リオ+20

もとより、MDGsの目標期限である2015年が迫ってきても、MDGsに示された課題の解決は、道半ばに滞まっていました。そうし

*1 ミレニアム開発目標。1990年代に開催された主要な国際会議・サミットで採択された「国際開発目標」と、2000年に開催された国連ミレニアム・サミットで採択された「国連ミレニアム宣言」とを統合してつくられた、2015年までを達成期限とする8個の国際目標のこと。

た中、２０１２年６月にブラジルのリオデジャネイロで開かれた１８８か国とヨーロッパ連合（ＥＵ）などから代表団が参加した「国連持続可能な開発会議（リオ＋20）」が行われ、そこで次のような意見が出されたのです。

・人類が問題とするのは貧困だけではない。
・貧困は決して途上国に限定されるものではない。
・世界を持続不可能にしている深刻な問題がたくさんある。
・エネルギーや環境といった人類共通の問題がたくさんある。

MDGsの８つの目標

目標1：極度の貧困と飢餓の撲滅

目標2：普遍的な初等教育の達成

目標3：ジェンダーの平等の推進と女性の地位向上

目標4：幼児死亡率の引き下げ

目標5：妊産婦の健康状態の改善

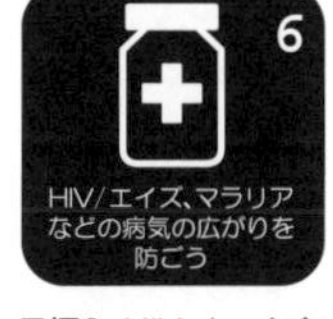

目標6：HIV／エイズ、マラリア、その他の疫病の蔓延防止

目標7：環境の持続可能性の確保

目標8：開発のためのグローバル・パートナーシップの構築

出典：国連広報センター

リオ＋20の最後、「環境と開発に関するリオ宣言」とそれに向けた行動計画が採択されました。その内容は、主に環境問題に関するものでしたが、この宣言こそが、ＳＤＧｓをつくる交渉の出発点だったのです。これを受けて国連でＳＤＧｓ策定の作業が本格化しますが、交渉はかなり難航。様々な案が出されながら、それに反対する国が出てきます。ＳＤＧｓの達成期限をどうするかも大きな問題となりました。

ターニングポイント

ところが、そうした話し合いには、政府の代表だけでなく、国際機関、学会、ＮＧＯなどからも多くの人が参加していました。ＮＧＯが参加したのは、国境を越えたより広い見方を反映させるためでした。また、国連開発計画（ＵＮＤＰ）[*2]が行った約720万人（全世界人口の0.1パーセント）に対する調査も反映されました。そうして作成された最終的なＳＤＧｓ案を含む決議「２０３０アジェンダ」が国連サミットで、国連に加盟する１９３のすべての国の賛成で採択されたのです。

＊２　貧困削減、民主的統治の確立、紛争や災害などの危機予防・復興などの分野で、主に開発途上国に対する支援を行う、国際連合の機関。１９６６年設立。

2015年９月、アメリカのニューヨークで開催された国連総会。各国・地域の代表が集まり、2016年から2030年の15年の間で達成しようという17個の目標（ゴール）を含む合意文書をコンセンサス（全会一致）で採択した。

採択までの歴史をもう少し詳しく！

ここで、この章題を「わかっているようでわからないSDGs」としたことについて、SDGsがどの程度知られていないかを判断するための材料を提示します。

SDGsが生まれるまで

1972年6月、スウェーデンの首都ストックホルムで、「かけがえのない地球（Only One Earth）」を標語として「国連人間環境会議」が開催された。人類を取り巻く環境が悪化していることに対応する必要があるという共通認識の下、100か国以上の政府やNGOs（エヌジーオーズ）が参加し、会議の成果として「人間環境宣言」と「環境国際行動計画」が採択されたのだ。これらの文書には、天然資源や野生動物の保護、海洋汚染の防止、開発や国際協力の必要性、国際機関の役割など、後にSDGsに盛り込まれる課題のいくつかが既に記されていた。これらの課題を実施するための機関として、同年の国連総会決議により「国連環境計画」（UNEP（ユネップ）[*1]）が設立された。同じ年に、国際的な研究者の団体ローマクラブ（→P94）が「成長の限界」と題する報告を発表し、人口増加や環境破壊が続けば、石油など資源の枯渇と相まって人類の成長は限界に達すると警鐘を鳴らし、翌73年に第四次中東戦争（→P175）をきっかけとする世界的な石油危機が発生するタイミングと重なったために、資源、環境問題に関する関心が世界的に高まることとなった。

1984年には、国連環境計画の決定に基づいて「環境と開発に関する世界委員会」が設置された。

同委員会が1987年に纏めた報告書が「我ら共有の未来」（委員長を務めたノルウェー首相の名前をとって「ブルントラント報告」とも呼ばれる）である。この報告書が打ち出したのが「持続可能な開発」という考え方で、「将来の世代の欲求を満たしつつ、現在の世代の欲求をも満足させるような開発」と定義された。環境保護と開発は対立する二つの要請であって、環境保護にコストをかければ開発が阻害されるといった警戒感が、特に途上国の間で非常に強かったことに鑑みると、双方を目指すべきという「持続可能な開発」という発想は実に創造的で画期的なものであったといえよう。報告書は、食料安全保障、エネルギー、平和などの課題も加わって、人間環境宣言の内容をさらに充実させるものであった。翌1988年には、国連環境計画と世界気象機関（WMO）[*2]により「気候変動に関する政府間パネル（IPCC）[*3]」が設置され、その後気候変動問題に関する大きな役割を担っていくこととなる。

こういった流れを受けて、1992年にはブラジルのリオデジャネイロで国連環境開発会議が開催され、「環境と開発に関するリオ宣言」、リオ宣言の行動計画である「アジェンダ21」の他、気候変動枠組

＊1　地球規模の環境課題を設定し、環境に関連した活動を進める国連の機関。1972年の国連総会決議に基づいて設立。本部はケニア。

＊2　気象業務に関する国際協力を目的として1950年に設立された国連の専門機関。本部はスイスのジュネーブ。

＊3　国連環境計画（UNEP）と世界気象機関（WMO）によって設立された、気候変動にたいする評価を行う機関。世界中の科学者の協力を受けて、評価報告書を定期的にまとめ、公表している。

条約、生物多様性条約、森林原則声明も採択された。その後も、1997年に「国連環境開発特別総会」（ニューヨーク）、2002年に「持続可能な開発に関する世界首脳会議」（南アフリカのヨハネスブルグ）などで持続可能な開発のための議論が行われ、諸々の計画が採択されてきた。

しかし、こうした様々な国際会議で持続可能性（環境保護）と開発の双方の課題をとりあげつつも、時に環境保護に重点が置かれ、開発が議論の中心になることがあるのだ。ここまで紹介してきた流れは、強いていえば環境保護に軸足が置かれた印象の強い会議であった。一方、開発についても国連や主要国首脳会議、経済協力開発機構、世界銀行をはじめとする国際的な場で論じられてきた。早くも1961年の国連総会は60年代を「国連開発の10年」と宣言して途上国の成長促進や先進国による援助の拡大を唱え、1964年には「国連貿易開発会議（UNCTAD）[*4]」が、1966年には「国連開発計画（UNDP）（→P254）」が創設された。1970年には先進国が国民総生産の0・7パーセントをODA[*5]に向ける目標が決められている。その後も途上国の対外債務問題への対応など多くの計画が打ち出されてきた。以下は、近年の動きの中で特記すべき、SDGsにつながる会合の様子である。

2000年に開催された国連ミレニアム・サミットでは、開発分野における国際社会共通の目標として国連ミレニアム宣言が採択された。同宣言と、それまでの開発に関する主な国際会議の成果を纏めて2001年につくられたのが、「ミレニアム開発目標」（MDGs）（→P252）である。

一般にSDGsの前身といわれるMDGsは、開発途上国の開発目標として、2015年を期限とする8つの分野（貧困・飢餓、初等教育、女性、乳幼児、妊産婦、疾病、環境、連帯）で目標を設定した。

途上国の開発についてはその後も、２００２年「国連開発資金国際会議」（メキシコのモンテレイで開催）、２００２年「持続可能な開発に関する世界首脳会議」、２０１５年の「国連開発資金国際会議」（エチオピアのアディスアベバ）などで国際的な議論が行われてきた。ＭＤＧｓの期限まで残すところ３年となった２０１２年、ブラジルのリオデジャネイロで開催されたのが、リオ＋20である。この会議では、成果文書「我々の求める未来」が採択されたが、ここで決定されたことの一つが、ＳＤＧｓについて政府間交渉のプロセスを立ち上げることであった。ここに環境保護と開発という大きな2つの流れを統合する大きな目標を策定することになったのである。ところが、この成果文書の交渉はあっけないほど簡単に終わってしまったという。そこで、唯一目を見張ったのがＳＤＧｓの交渉プロセス開始であった。その背景としては、ＭＤＧｓが一定の成果を上げたものの、サハラ以南のアフリカをはじめとして未達成の目標が残されていたことや、環境問題などの世界的な課題に対する関心が高まるとともに、企業・市民団体などの果たす役割や影響力が高まってきたことが挙げられる。

＊4　国連主要機関のひとつである国連総会の常設機関。発展途上国の経済開発のため、貿易や投資の拡大に関する討議を４年に１度おこなう。

＊5　政府開発援助（ODA）。先進国の政府機関が主体となり、開発途上国の開発を目的として実施する技術的・金銭的な公的援助のこと。直接支援する「二国間援助」と、国際機関を通じて支援する「多国間援助」の２つの援助方法がある。「二国間援助」には、提供資金の返済を求める「有償資金協力」と、返済を求めない「無償資金協力」が存在する。

こうして始まったＳＤＧｓ（当初、ＭＤＧｓの後継という意味を込めて「ポスト２０１５年開発アジェンダ」と呼ばれていた）の交渉は２０１３年から開始されたが、特記すべきは、各国の政府による交渉のみならず、広く民間企業、ＮＧＯ、学会などの意見を聴く機会が設けられたことである。結局、２０１４年７月には政府間の作業部会でＳＤＧｓの中身について実質的な合意ができあがり、２０１５年９月の国連総会で、「我々の世界を変革する：持続可能な開発のための２０３０アジェンダ」と題する国連総会決議（Ａ／ＲＥＳ／70／1。通称「２０３０アジェンダ」）として採択されるに至ったのである。

尚、一般にいう「ＳＤＧｓ」は、この決議の一部分である。決議全体は、冒頭の「前文」、「宣言」（全体の哲学やビジョン）、「持続可能な開発目標（ＳＤＧｓ）とターゲット」（いわゆる「ＳＤＧｓ」。17の目標と１６９のターゲットから成る）、「実施手段とグローバル・パートナーシップ」、「フォローアップとレビュー」の５つの部分から構成されている。ＳＤＧｓの哲学や全体像を知るためには、こうした決議全体を知る必要がある。

（『ＳＤＧｓ辞典』渡邉優、ミネルヴァ書房より）

SDGsのロゴマークが映し出された、ニューヨークの国連本部ビル。

4 改めて17個の目標を見てみると

SDGsの17個の目標を表した言葉の中には、表現に少し違和感があるものがいくつもあります。

翻訳文とはいえ

例えば、目標1を「貧困をなくそう」とするなら、目標2の「飢餓をゼロに」は「飢餓をなくそう」とか「飢餓をゼロにしよう」とするのが自然です。また、「ジェンダー」や「パートナーシップ」などのカタカナが使われていてよくわからないものもあります。

なぜ、このようなわかりづらい表現になっているのでしょうか。それは、英語を日本語に翻訳したものだからです。ところが、英語のテーマを直訳したものではなく、日本語として、目標（ゴール）の内容をより良く伝わるようにした、所謂「標語」になっているのです（↓P247）。

SDGsの目標の分類

もとより、SDGsの17個の目標（ゴール）は、四つの層に分けることができます。即ち、人類の活動の種類によって①経済 ②社会 ③環境に分けて、17番目の目標として「パートナーシップで目標を達成しよう」が追加されたような構造になっているのです（下のチャート図参照）。MDGsの目標は8個でした（→P252）。SDGsの目標は、その2倍プラス1ということです。

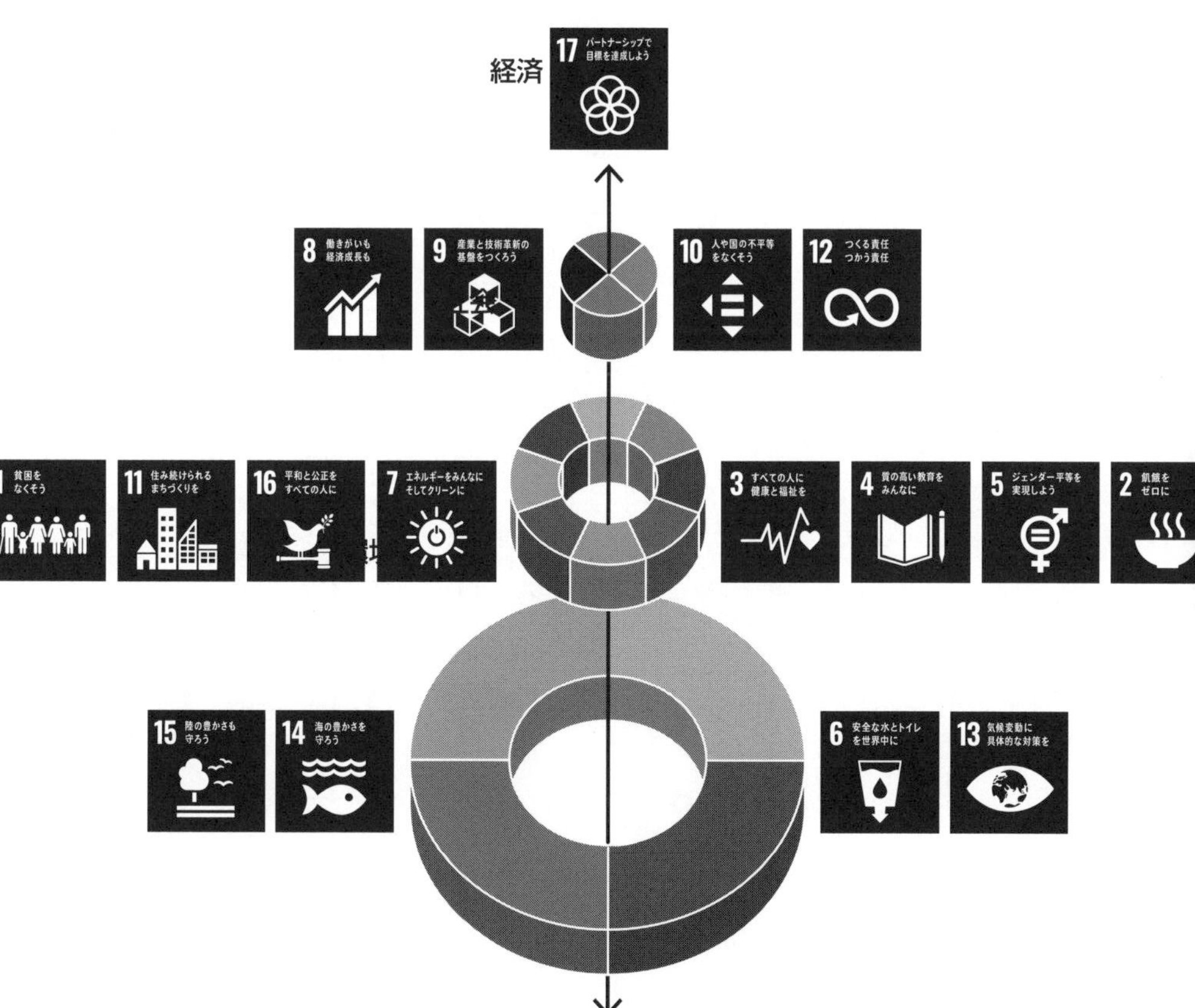

illustration presented by Johan Rockström and Pavan Sukhdev

5 SDGsはここがすごい！

SDGsの優れたところは、17個の目標が相互に深く関係していること、ターゲットにより目標の達成の度合いを確認できることだといわれています。

相互の深い関係

SDGsの17個の目標はどれも、単独でその目標を達成することはできません。なぜなら1つの目標を達成するためには他の目標についても考えなければならないからです。

例えば、目標1の「貧困をなくすこと」を達成しようとすれば、目標3の「健康であること」や目標4の「質の高い教育」も考えていかなければなりません。* そうでないと病気のために貧困になったり、学校にいけないために仕事がなくて貧困に陥ったりするからです。

もう一つ例を挙げると、目標2の「飢餓をなくすこと」を達成するには食料が必要。その食料は、目標14の「海のいのちを守ること」や目標15の「陸のいのちを守ること」と深く関連しています。このようにSDGsは、単独で目標を達成するというものでなく、様々にかかわり合いながら目標を達成するように考え出されたものだといえます。

＊ある目標を達成するには、他の目標についても考え、かかわり合っていかなければならない。これを「くもの巣チャート」で表したものが、左ページの図。目標1が、17個の目標のうち、他のどの目標と強く関係があるかを示している。
出典：「SDGsのきほん　未来のための17の目標②　貧困　目標1」（ポプラ社）

SDGs「目標１」くもの巣チャート

目標１が､他の目標とどのようにからみあっているか示したもの｡特に強く関係する目標は太い線で繋いでいる。

2 貧困をなくすには、飢餓をなくすことが必要。飢餓に苦しむ人は地球上におよそ８億人もいて、それによって命を落とす人や健康に生きられない人がたくさんいる。開発途上国にかぎらず先進国でも飢餓があり、空腹が続けば貧困からぬけだす努力をすることは困難だ。飢餓を広げない努力が必要。

3 貧困をなくすには、健康でいることも必要。経済的に苦しい生活をしている人は、病気によって貧困におちいってしまう。経済的に貧しくても、適切な医療と保障を受けられる環境をつくることが重要だ。

4 教育が受けられていない人は、よりよいくらしをしたいと思っても、生活をかえるのはむずかしい。また、教育を受けていない人の子どもも貧困となりやすい（貧困の連鎖）。性別や経済力、年齢などにかかわらず、すべての人が質の高い教育を受けられる環境は、貧困解消の要件となっている。

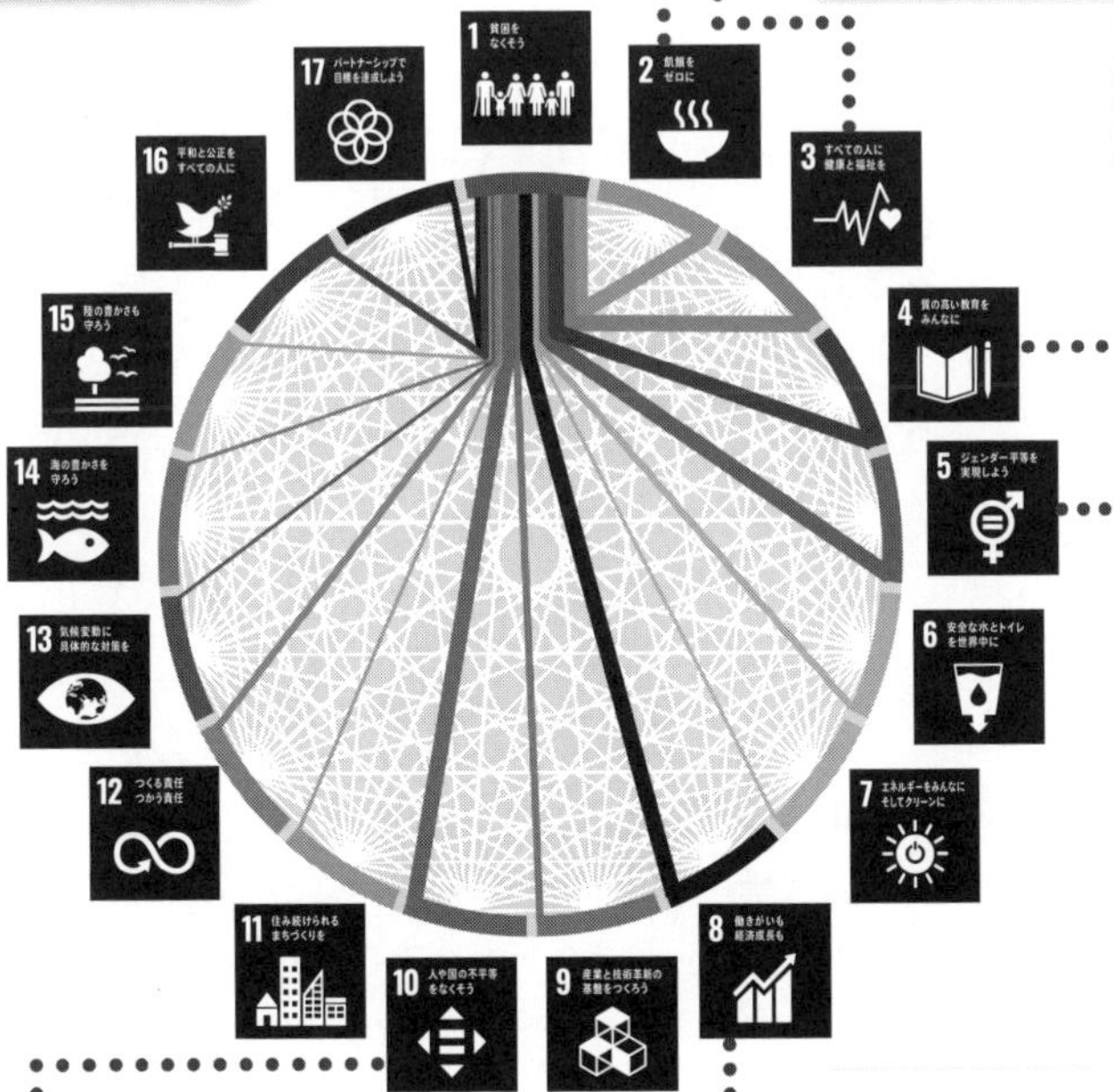

10 貧困をなくすことと、差別をなくすことは、同じことだ。なぜなら、差別が貧困につながっているからだ。また、差別をなくすためには、経済的・社会的に弱い立場の人への支援が必要となる。

8 経済成長と働きがいのある社会が実現すれば、貧困はなくなると考えられている。人の生活を犠牲にして成りたつ経済成長ではなく、働きがいのある人間らしい仕事をすべての人が得られることこそ、貧困解消の要件だ。

5 雇用や給与、家事分担をはじめ、社会の意思決定への参加など、多くの場面で女性は弱い立場に追いやられることが、貧困につながっている。女性が自分の人生を自分で決め、能力を発揮することで社会が進歩する。それによって貧困も減少する。

達成度合いを確認できるも

SDGsには、全部で169個のターゲットがつくられています。さらに2017年、目標の達成度合いをはかる指標がつくられました。これは、達成できた数により、達成度合いを確認できるようにするもの。これにより、その国の政府やNGO・企業、そして国民が達成度合いを知ることができるようになりました。

例えば、ドイツのベルテルスマン財団[*1]と「持続可能な開発ソリューション・ネットワーク（SDSN[*2]）」という民間団体が共同で、SDGsの目標達成度を国際的に比較した資料を2016年から毎年報告書として発表しています（「世界のSDGs達成度ランキング」）。2022年の報告書によると「世界のSDGs達成度ランキング」の第1位はフィンランド、2位デンマーク、3位スウェーデン、4位ノルウェーと北欧の国が続き、次にオーストリア、ドイツなどヨーロッパの国でした（2022年6月2日発表）。日本の順位は、調査した163か国中19位で、前年に比べて1つ後退しました。相変わらず、「ジェンダー平等」や「責任ある消費・生産」「気候変動対策」「パートナーシップ」に課題があると指摘されました。ただし、目標9「新しい技術とインフラ」の達成度は上がりました。最下位は、南スーダン。アメリカは41位、中国は56位という結果となりました。

＊1　ドイツを本拠に世界規模で新聞、出版、放送、レコードなどのメディア事業を展開しているベルテルスマン・グループを母体として1977年に設立。年間70以上の公益事業を行う、ドイツ最大規模の財団のひとつ。

＊2　持続可能な社会を実現するため、学術機関や企業、市民団体などが連携することを目的とする世界規模のネットワーク。

尚、世界平均のＳＤＧｓ達成度は２０２０年から2年連続でわずかに減っています。２０２０年からの新型コロナウイルスの流行が目標１「貧困をなくそう」や目標８「働きがいも経済成長も」の達成に影響していること、また目標11～目標15[*3]も達成に向けた取り組みに遅れが見られること、さらにロシアのウクライナ侵攻をはじめとする軍事衝突により食糧事情やエネルギー価格への影響も懸念されると報告書は指摘しています。

2022年版世界のSDGsランキング上位80か国

順位	国	達成度	順位	国	達成度
1	フィンランド	86.51	41	アメリカ	74.55
2	デンマーク	85.63	42	ブルガリア	74.29
3	スウェーデン	85.19	43	キプロス	74.23
4	ノルウェー	82.35	44	タイ	74.13
5	オーストリア	82.32	45	ロシア連邦	74.07
6	ドイツ	82.18	46	モルドバ	73.93
7	フランス	81.24	47	コスタリカ	73.76
8	スイス	80.79	48	キルギス共和国	73.72
9	アイルランド	80.66	49	イスラエル	73.51
10	エストニア	80.62	50	アゼルバイジャン	73.45
11	イギリス	80.55	51	グルジア	73.35
12	ポーランド	80.54	52	フィジー	72.93
13	チェコ共和国	80.47	53	ブラジル	72.80
14	ラトビア	80.28	54	アルゼンチン	72.78
15	スロベニア	79.95	55	ベトナム	72.76
16	スペイン	79.90	56	中国	72.38
17	オランダ	79.85	57	北マケドニア	72.31
18	ベルギー	79.69	58	ペルー	71.93
19	日本	79.58	59	ボスニア・ヘルツェゴビナ	71.73
20	ポルトガル	79.23	60	シンガポール	71.72
21	ハンガリー	79.01	61	アルバニア	71.63
22	アイスランド	78.87	62	スリナム	71.59
23	クロアチア	78.79	63	エクアドル	71.55
24	スロバキア共和国	78.66	64	アルジェリア	71.54
25	イタリア	78.34	65	カザフスタン	71.14
26	ニュージーランド	78.30	66	アルメニア	71.05
27	韓国	77.90	67	モルディブ	71.03
28	チリ	77.81	68	ドミニカ共和国	70.76
29	カナダ	77.73	69	チュニジア	70.69
30	ルーマニア	77.72	70	ブータン	70.49
31	ウルグアイ	77.00	71	トルコ	70.41
32	ギリシャ	76.81	72	マレーシア	70.38
33	マルタ	76.77	73	バルバドス	70.34
34	ベラルーシ	75.99	74	メキシコ	70.20
35	セルビア	75.89	75	コロンビア	70.13
36	ルクセンブルク	75.74	76	スリランカ	70.03
37	ウクライナ	75.69	77	ウズベキスタン	69.93
38	オーストラリア	75.58	78	タジキスタン	69.68
39	リトアニア	75.42	79	エルサルバドル	69.60
40	キューバ	74.66	80	ヨルダン	69.41

出典：Sustainable Development Report 2022

＊3　目標11は「住み続けられるまちづくりを」、目標12は「つくる責任　つかう責任」、目標13は「気候変動に具体的な対策を」、目標14は「海の豊かさを守ろう」、目標15は「陸の豊かさも守ろう」

一般層にも知られてきた？「SDGs」

「SDGs」という言葉を聞いたことはあるが、言葉は知っていてもわからない人は大勢います！
では「SDGs万博」といったら？？？

意識調査

日本の大手広告代理店（広告を扱う会社）が、2022年1月に全国10〜70代の男女計1400名を対象にして第5回「SDGsに関する生活者調査」を実施しました（第1回調査は2018年2月）。

その結果、SDGsを認知している人の割合は、全体で86・0％と、前回より30ポイント以上向上。2018年の第1回調査（ビジネス層を中心に14・8％の認知率）から

SDGsの認知例（性年代別・前回調査比較）

第4回認知計（%）調査期間2021年1月　第5回認知計（%）調査期間2022年1月

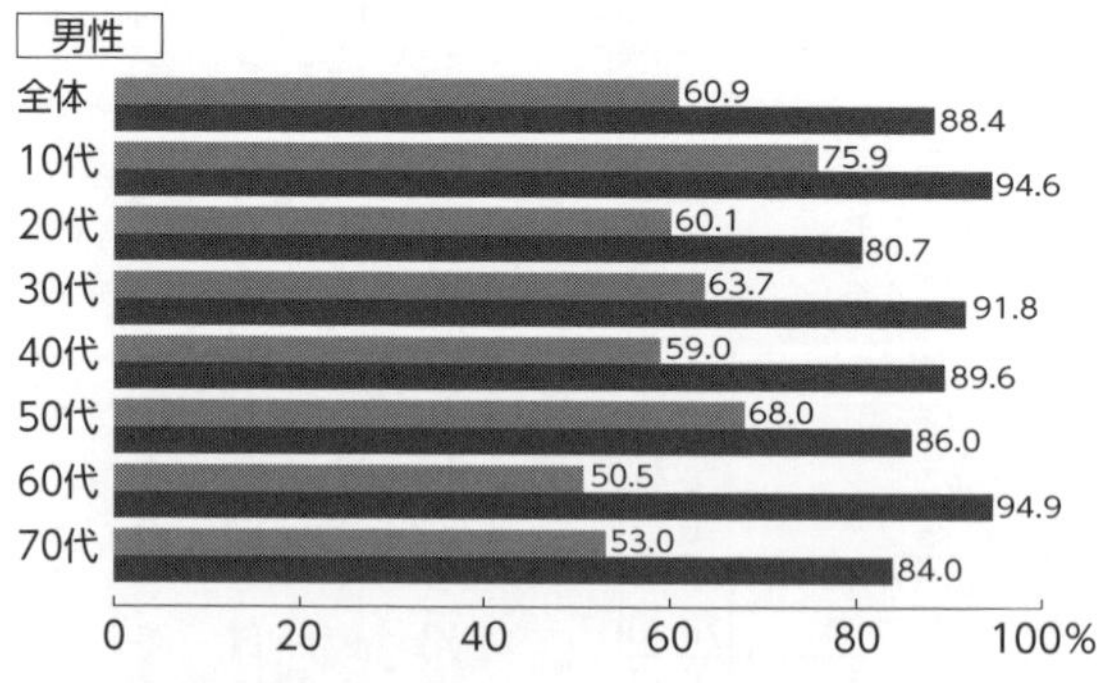

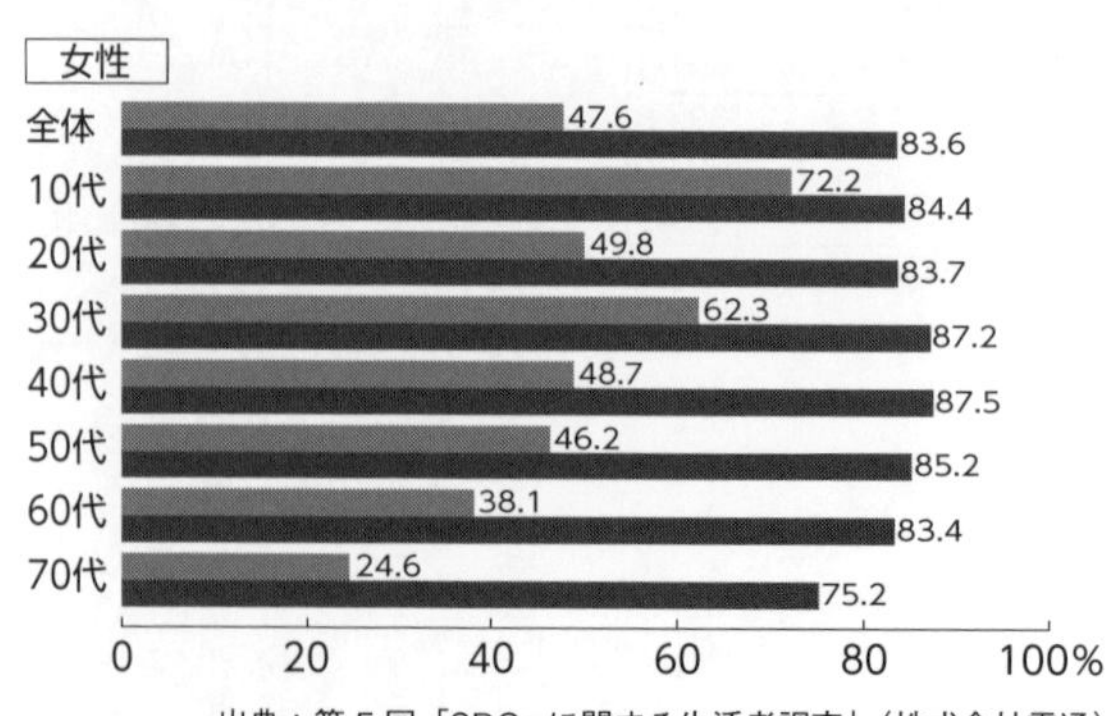

出典：第５回「SDGs に関する生活者調査」（株式会社電通）

は約6倍に伸びました。*1

前回調査と比較して、SDGsの認知率が大きく増加したのは、70代女性（＋50・6ポイント）、60代女性（＋45・3ポイント）、60代男性（＋44・4ポイント）で、これまで認知率が高かったビジネス層や学生層だけでなく一般の人たちにも知られてきたことが示されています。

＊1　認知率が上がった要因としては、教育現場での理解促進が進んだこと、マスメディアで取り上げられ一般への理解促進も進んだこと、企業や自治体などでの取り組みが増えたことなどによる接触機会の増加が考えられると分析されている。

SDGsの認知例（時系列）

内容まで含めて知っている
内容はわからないが名前は聞いたことがある

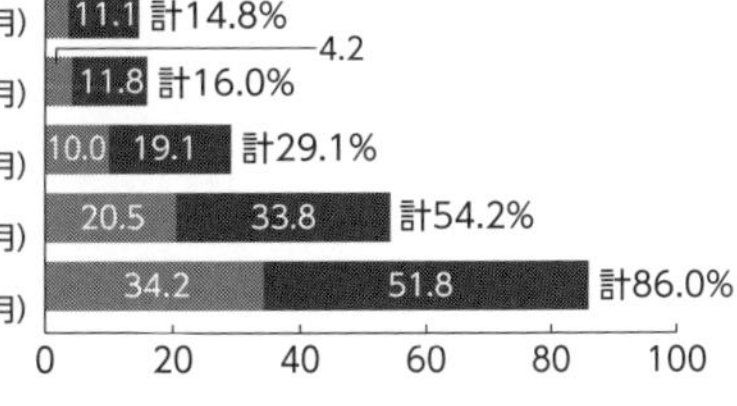

SDGsの認知例（職業別・前回調査比較）

第4回認知計（%）調査期間2021年1月
第5回認知計（%）調査期間2022年1月
参考値

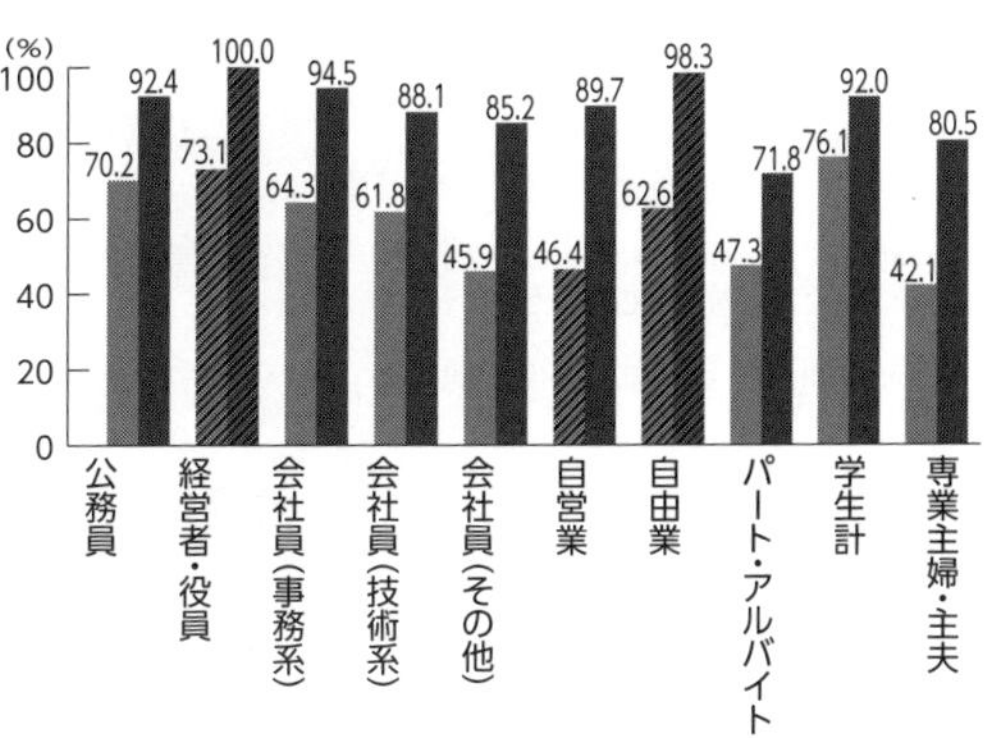

実践意欲が高いのは……

この調査では「どのようにしてSDGsを知ったか？」「SDGsを実践しているか？」などについても調査を行い、調査結果を分析して次のように発表しています。

・認知経路の上位は前回調査と同様の傾向だが、テレビ番組が大きく伸びたのは、SDGsをテーマとする番組（コーナー）が大きく増加したことも影響したと考えられる。

また、とくにSDGsへの実践意欲が高い層の中でも、「Z世代」[*2]と呼ばれるグループに注目し、その認知経路や実践アク

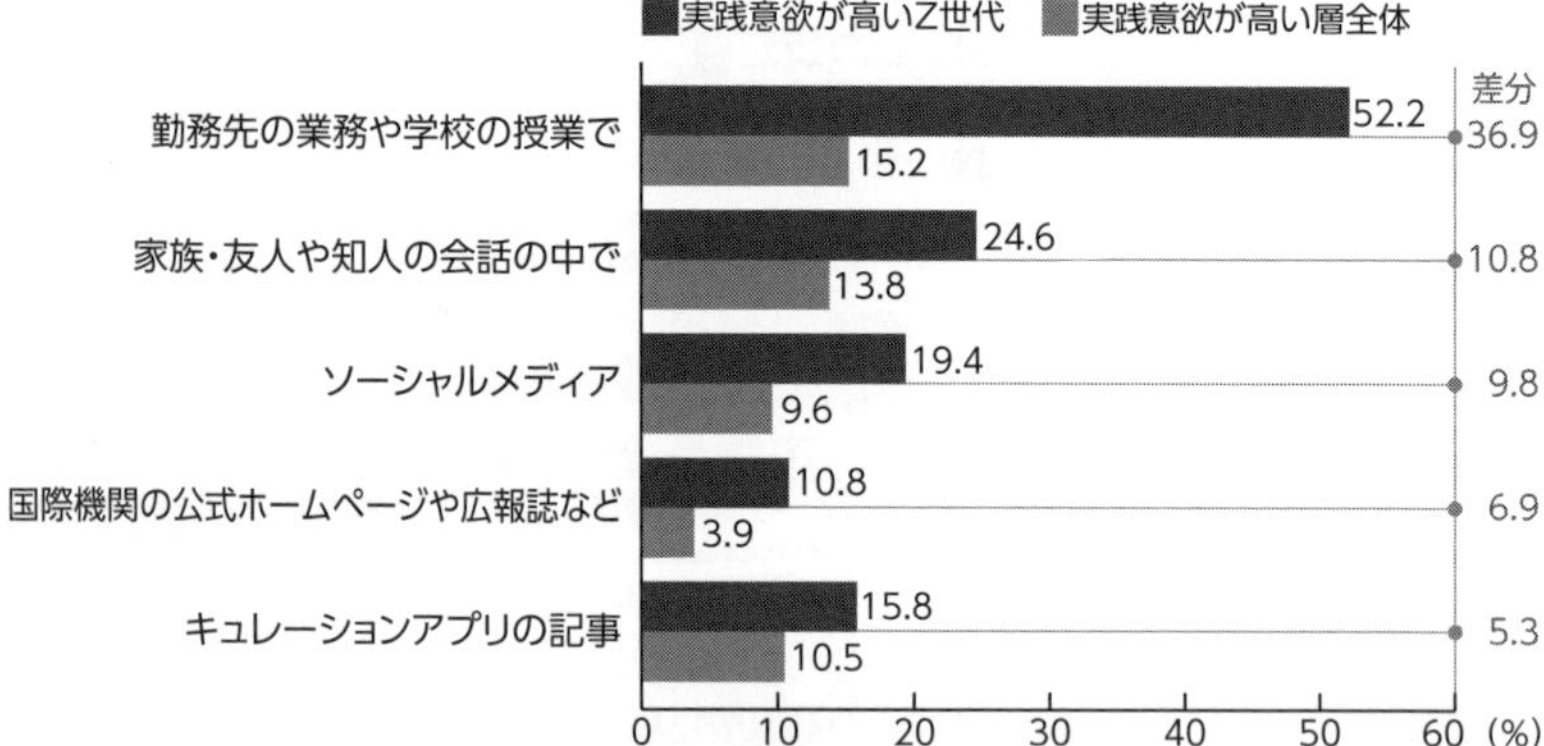

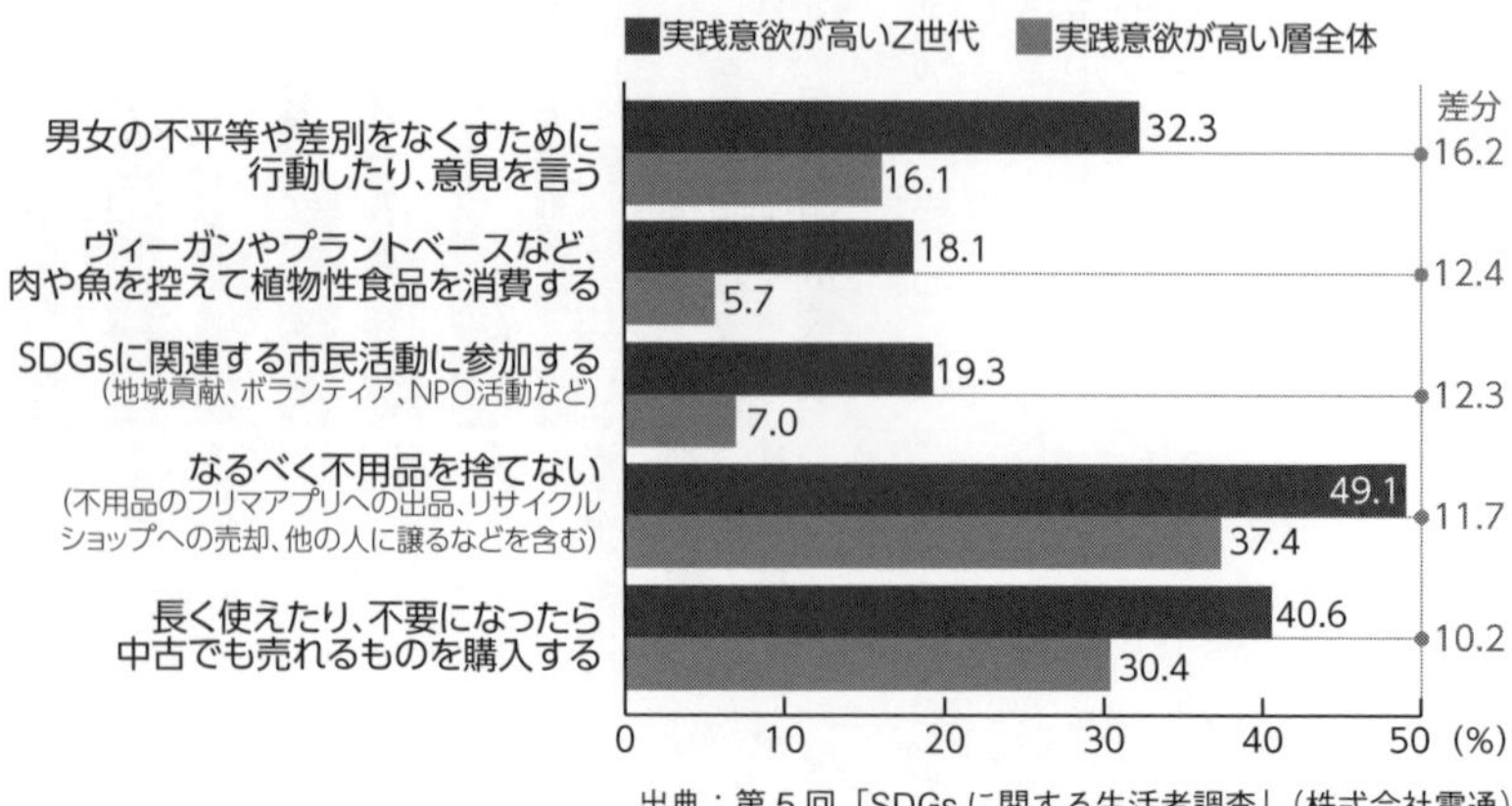

出典：第５回「SDGsに関する生活者調査」（株式会社電通）

ションなどで全体と比べて独自の特徴が見られ、発信・消費・市民活動への参加に積極的だとしています。

・Z世代はジェンダー平等への関心が高く、SDGs関連のイベントへの参加意向や関連商品・サービスの消費意向も高い。広告などの影響を受け、SNSや家族・友人との会話で情報が共有される。

＊2 一般的には1990年代後半から2012年頃に生まれた世代を指す。もともとはアメリカから伝わった世代分類を指す言葉。これから社会の中心となっていく世代であり、企業によってはこの世代がターゲットの中心という場合もある。Z世代の特徴としては、「インターネット環境での情報収集が当たり前」「社会問題への関心が高い」「ブランドに対するこだわりがあまりない」ともいわれている。

SDGsについて感じること

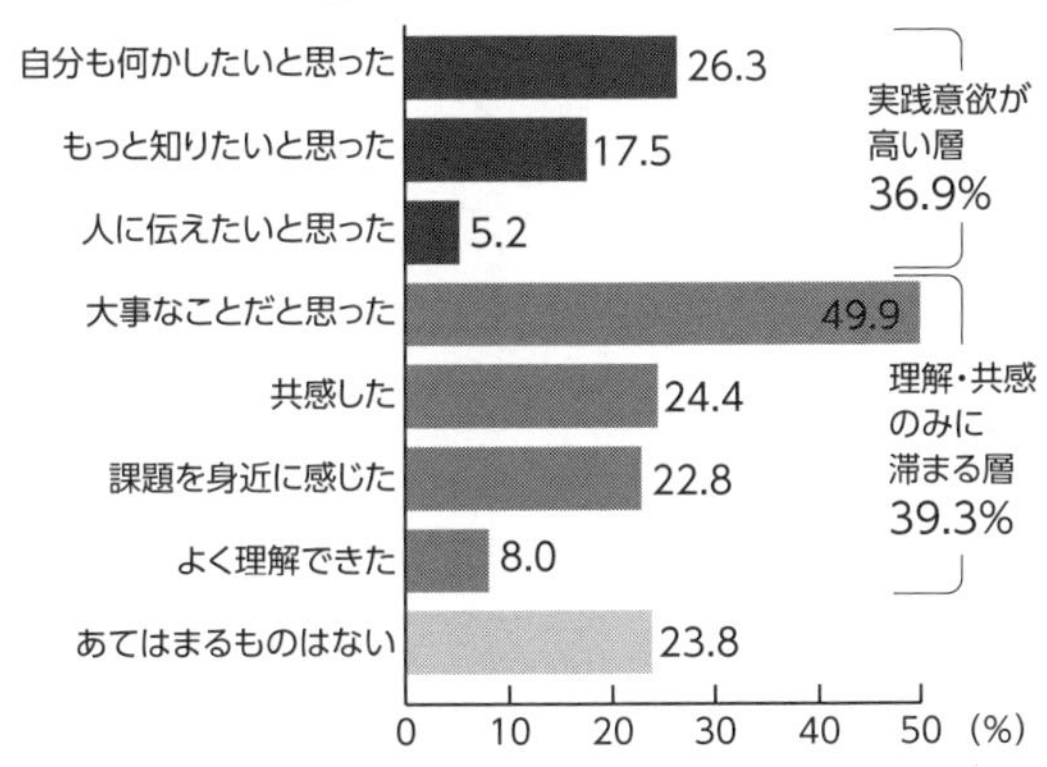

実践意欲が高い層（職業別構成比）

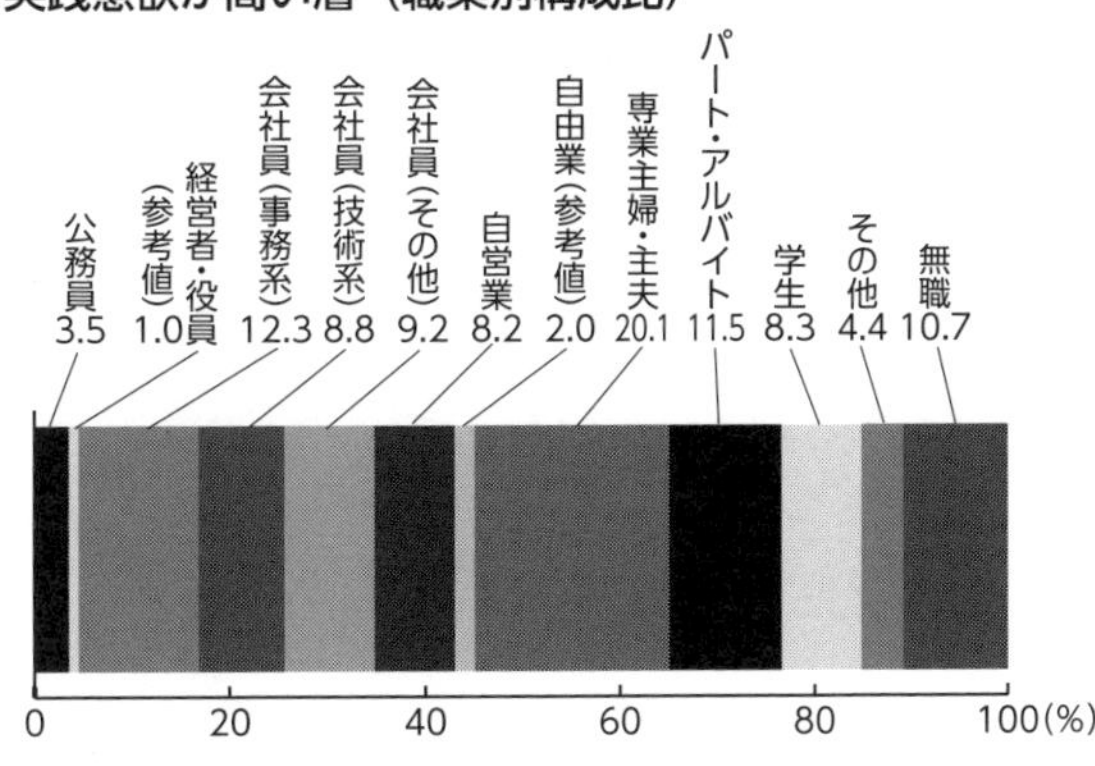

6 SDGsには行動計画はない！

２０１５年、ＳＤＧｓは全人類が２０３０年までに達成する目標になりました。ところが、その目標をどうやって達成するか、何も示されませんでした。

一人ひとり自分のやり方で目標を達成

行動計画がつくられなかった理由は、例えば「貧困をなくそう」という目標1は、先進国と途上国とで貧困の様子がまったく異なり、どのように目標を達成するかも異なるからです。目標達成のために、それぞれの国の政府が、自国の国民に対しどのように提案していくかについても示されませんでした。

一般に、国際条約などでは「アジェンダ（Agenda）」と呼ばれる行動計画が示されることが多くあります（ＭＤＧｓにもあった）。ところが、ＳＤＧｓにはそれがありません。どのように達成するかは各国の政府だけでなく、ＮＧＯや企業・個人が考えなければならなくなりました。言い換えれば全人類の目標とされるＳＤＧｓは世界中の人が一人ひとり自分のやり方で目標を達成すればいいということなのです。

万博を機にいろいろなことができる日本

２０２５年日本国際博覧会協会（→Ｐ232）は、次のようにいっています。

> 大阪・関西万博のコンセプトは「People's Living Lab(未来社会の実験場)」である。これは、テーマを実現するアプローチであり、万博のスタイルをより実践的な行動の場へと進化させることを狙うため、本万博で行われる事業のガイドラインの役割を果たす。本万博の会期前から多様な参加者がそれぞれの立場からの取組（例えば、健康・医療、カーボンニュートラル、デジタルをテーマにしたもの等）を持ち寄り、ＳＤＧｓ達成に資するチャレンジを会場内外で行い、未来社会をただ考えるだけでなく、行動することによってリアルに描き出そうという試みが、本万博の最大の特徴と言える。
>
> 万博会場を新たな技術やシステムを実証する場と位置づけ、多様なプレイヤーによるイノベーションを誘発し、それらを社会実装していくための巨大な装置としていく。

右記にあるように、同協会では、「ＳＤＧｓ達成に資するチャレンジを会場内外で行うこと」を大阪・関西万博の最大の特徴として、既に「TEAM EXPO 2025」プログラムを募集・実践しています（→Ｐ239）。もとより、ＳＤＧｓの目標達成の仕方は自分のやり方でよい！　ということは、万博に興味のある人は、当プログラムに応募して、ＳＤＧｓ達成のために自分のできることをやればいいことになります。

7 2025年という年

2025年はSDGsの目標達成期限まであと5年です。そのため「大阪・関西万博」でSDGsのラストスパートをかけることが期待されています。

SDGs世界の現状

SDGsの目標達成の期限は、2030年です。2025年は目標達成の期限まで5年しか残されていません。これは、日本にとっても、世界のすべての国にとっても同じ。今、世界中でSDGs目標達成のための無数の取り組みが行われ、その成果も見られています。しかし、このままでは、到底達成できません。地球温暖化は収まりません。今の、パンデミック(↓P126)は、2023年5月にWHOが「国際的に懸念される公衆衛生上の緊急事態」を終了すると発表しましたが、まだ完全には収束していません。2030年の万博招致合戦は、ロシアの辞退となりましたが、ロシア・ウクライナの戦争は収まるどころか拡大。ウクライナの招致の可能性も消滅してしまいました(↓P68)。

SDGsの目標達成の度合いを少しでも高めるためには、あらゆる取り組みの規模を拡大し、スピードも速めなければならないといわれています。そんな中、日本は、この万博において、国内の取り組みと共に世界に向けてＳＤＧｓの取り組みを拡大・スピードアップさせるきっかけにすることができるのです。

世界的に注目される万博が開催される２０２５年が、ＳＤＧｓ目標達成まであと５年というのは、日本政府のＳＤＧｓ戦略にとってラッキーだといえるかもしれません。

太陽の塔（→P166）が残る万博記念公園。大量生産・大量消費の象徴だった大阪万博から50年余り経ち、2025年大阪・関西万博は、持続可能な世界への道しるべとなることが期待されている。

日本政府は2021年12月、SDGsの目標達成のために8つの優先課題を定めた「SDGsアクションプラン2022」を作成し、SDGsの17の目標（ゴール）と169個のターゲットのうち、特に力を入れるべきものを示しました。これは、2030年までに目標を達成するために「優先課題8分野」において政府が行う具体的な施策やその予算額を整理し、各事業の実施によるSDGsへの貢献を「見える化」することを目的としているといいます。その中心的な考え方は、5つのP（People（人間）、Planet（地球）、Prosperity（繁栄）、Peace（平和）、Partnership（パートナーシップ））に基づき、以下の事項に重点的に取り組むこととしています。

「SDGsアクションプラン」

People（人間）
①あらゆる人びとが活躍する社会・ジェンダー平等の実現（目標：1、4、5、8、10、12）
②健康・長寿の達成（目標：2、3）

Prosperity（繁栄）
③成長市場の創出、地域活性化、科学技術イノベーション（目標：2、8、9、11）
④持続可能で強靭な国土と質の高いインフラの整備（目標：2、6、9、11）

Planet（地球）
⑤省・再生可能エネルギー、防災・気候変動対策、循環型社会（目標：7、12、13）
⑥生物多様性、森林、海洋等の環境の保全（目標：2、3、14、15）

各アクションプランのサブタイトル

SDGsアクションプラン2018（2017年12月公開）
「2019年に日本の『SDGsモデル』の発信をめざして」

拡大版SDGsアクションプラン2018（2018年6月公開）
「2019年に日本の『SDGsモデル』の発信をめざして」

SDGsアクションプラン2019（2018年12月公開）
「2019年に日本の『SDGsモデル』の発信をめざして」

拡大版SDGsアクションプラン2019（2019年6月公開）
「2019年に日本がリーダーシップを発揮するSDGs主要課題」

SDGsアクションプラン2020（2019年12月公開）
「2030年の目標達成に向けた『行動の10年』の始まり」

SDGsアクションプラン2021（2020年12月公開）
「コロナ禍からの『よりよい復興』と新たな時代への社会変革」

SDGsアクションプラン2022（2021年12月公開）
「全ての人が生きがいを感じられる、新しい社会へ」

Peace（平和）
⑦平和と安全・安心社会の実現（目標：5、6）

Partnership（パートナーシップ）
⑧SDGs実施推進の体制と手段（目標：17）

SDGs目標17と「TEAM EXPO 2025」プログラム

「TEAM EXPO 2025（→P239）」では「共創[*1]」という言葉を使っていますが、SDGsの目標達成には、パートナーシップが欠かせません。

SDGs目標17

SDGs目標17「パートナーシップで目標を達成しよう」は、SDGs目標の1～16の目標を達成するためには、協力が必要不可欠だということで掲げられた目標です。263ページのチャートの一番上に位置しているのを見ても、目標17が、他の目標と異なる位置付けであることがわかります。

尚、目標17のターゲットには「実施手段の強化」と「パートナーシップの活性化」の方法が具体的に記されています。また、パートナーシップの重要性は、「SDGsアクションプラン」（→P276）の5つ目の「P」に掲げられていることからも、今、日本政府が強化しようとしていることがわかります。国連や日本を含む各国政府がパートナーシップでSDGsの目標を達成しようとしているのです。

全ての人が当事者

大阪・関西万博でも「世界との共創」が掲げられています。「TEAM EXPO 2025」プログラムでは、世界の国ぐにや企業だけでなく、一般の人、企業、団体にも、「共創」によるSDGsの目標達成のための行動を呼びかけているのです。

人類にとって、SDGsの目標達成は絶対に必要なこと、誰一人として目標達成の努力を免除されることはないのですから、自ら進んで努力していかなければならないでしょう。そして、そうした努力は、パートナーシップで行わなければ、全うできるものでないことはいうまでもありません。SDGsは、誰一人取り残さないといわれていますが、むしろ、誰一人パートナシップを組まないでよいということができないということではないでしょうか。

「TEAM EXPO 2025」プログラムも「TEAM（チーム）」という名称が示すように、一人で行えばよいというものではありません。SDGsの目標達成に向かって自らが主体となり、みなと協力し合って行動を起こすことが促されているのではないでしょうか。

＊1　多様でそれぞれ異なる立場や業種の人や組織が協力して、新たな商品、サービスなどを創り出すこと。

第9章 資料いろいろ

資料① SDGsの169ターゲット一覧

SDGs（エスディージーズ）のターゲットとは、17個の目標（ゴール）の1つにつき平均10個ずつ提示された具体的目標のことです。

ターゲットは難解なものが多い

ターゲットは、ネットを検索すればすぐに見つかりますが、比較的長い文で、専門用語も多くかなり難解なものです。ここで紹介しているターゲットの文言は、この本の著者である稲葉と渡邉が原文（英語）をわかりやすくしたいと挑戦して訳した「挑訳」[*1]と名付けた試みです。それぞれのターゲットの要点となることだけを169個書いてみましたので、ネット検索した原文などを読む際に参考にしていただけると幸いです。

尚、ターゲットは、目標番号に枝番のように示されていますが、前半が数字で、後半に少しアルファベットになっているものがついています。1・aや、12・bのように表記されたターゲットは、数字の枝番のものとは違い、実施手段として書かれたものです。

---

*1　一般に「翻訳」には、原文に忠実に訳す「直訳」と、原文の意味をくみとりながら訳す「意訳」がある。さらに近年、一度直訳したものを、日本語（国語）として点検する作業を行った訳を意味する「超訳」が登場。同じ「ちょう」と読む「挑」を使い、「挑戦」の意味を含めたものが「挑訳」。左に紹介している「徹底解説」では、それぞれのターゲットの「挑訳」とその内容を、写真や図版などを用いてわかりやすく解説している。

「これならわかる！SDGsのターゲット169徹底解説」（稲葉茂勝・渡邉優 著／ポプラ社刊）

テーマ 貧困をなくそう

目標 あらゆる場所のあらゆる形態の貧困を終わらせる

1.1 極度の貧困を終わらせる。

1.2 世界の貧困を半分に減らす。

1.3 国の制度により、貧困の人たちを守る。

1.4 弱い立場にある人が土地や財産をもち、資源や技術を平等に利用できるようにする。

1.5 貧しい人が自然災害や経済危機から立ちなおる力を高める。

1.a 開発協力をさかんにするため、お金や人材をあつめる。

1.b 貧困をなくすための支援金が世界のすみずみまでいきわたるようにする。

テーマ 飢餓をゼロに

目標 飢餓を終わらせ、食料安全保障及び栄養改善を実現し、持続可能な農業を促進する

2.1 とくに貧しく弱い立場にある人が1年中安全で栄養のある食料を得られるようにする。

2.2 世界中のすべての人が栄養不良にならないようにする。

2.3 農業や牧畜、漁業を営む人びとの収入を2倍にする。

2.4 生産量を増やす。自然を守りながら、自然災害に負けない、強靭な農業をできるようにする。

2.5 生物多様性を守る。動植物の遺伝的多様性を維持しながら、得られた利益を公平にわけるようにする。

2.a 後発開発途上国の農業を発展させるために、国際協力による支援を強める。

2.b 農作物の貿易の制限や不公平をなくす。

2.c 食料価格が大きくかわらないようにする。

テーマ

すべての人に健康と福祉を

目標 **あらゆる年齢のすべての人々の健康的な生活を確保し、福祉を促進する**

3・1　世界の妊婦と産婦の死亡率を出生10万人あたり70人未満にする。

3・2　新生児の死亡率を出生1000件中12件以下、5歳以下は、1000件中25件以下にする。

3・3　三大感染症や肝炎など、さまざまな感染症への対策をおこなう。

3・4　感染症以外の病気で亡くなる人の数を3分の1減らす。心の病への対策を進める。

3・5　薬物乱用やアルコールの有害な飲み方を防止し、治療を強化する。

3・6　2020年までに世界の道路交通事故による死傷者を半数に減らす。

3・7　すべての人が妊娠と出産にかかわる保健サービスを利用できるようにする。

3・8　すべての人が質の高い医療と、安全で安価な薬やワクチンを得られるようにする。

3・9　有害な化学物質や環境汚染が原因で亡くなったり病気になったりする人を大幅に減らす。

3・a　たばこの規制を強化する。

3・b　感染症のワクチンや薬の開発を支援し、開発途上国にも安い価格で提供する。

3・c　開発途上国の人びとの健康を守るための財政と人材を大幅に増やす。

3・d　健康に有害なものをはやく見つけだして、その悪影響を弱めていく。

テーマ

質の高い教育をみんなに

目標 **すべての人々への包摂的（ほうせつてき）かつ公正な質の高い教育を提供し、生涯学習の機会を促進する**

4・1　すべての子どもが無償で公正な質の高い高校までの教育*を修了できるようにする。
4・2　すべての子どもに質の高い小学校入学前の教育を受けられるようにする。
4・3　すべての人が質の高い高等教育を受けられるようにする。
4・4　仕事をしたり起業をしたりするのに必要な技能をもつ若者と成人を大幅に増やす。
4・5　弱い立場にある人もすべての段階の教育や職業訓練を平等に受けられるようにする。
4・6　世界のすべての人が文字と計算を身につけられるようにする。
4・7　持続可能な開発を続けるために必要な知識と技能をすべての人が学べるようにする。
4・a　すべての人に配慮した安全でつかいやすい教育施設を整備する。
4・b　高等教育の奨学金の件数を全世界で大幅に増やす。
4・c　開発途上国で質の高い教員を大幅に増やす。

＊世界的に初等教育は、一般に小学校の教育のことをさす。中等教育は、初等教育と高等教育との中間段階の教育のことで、中学校、高等学校をさす。高等教育は最高段階の教育のことで、日本では、大学、短期大学、大学院をさす。専門学校も高等教育にふくまれる。

テーマ

ジェンダー平等を実現しよう

目標　ジェンダー平等を達成し、すべての女性及び女児の能力強化を行う

5・1　子どもをふくむすべての女性に対する差別を完全になくす。
5・2　すべての女性に対するあらゆる暴力を完全になくす。
5・3　未成年者を結婚させたり、女性器切除をしたりするひどい習慣を完全になくす。
5・4　育児や介護などの家事に対する評価を高める。
5・5　女性があらゆることに参加できるようにする。
5・6　「性と生殖」にかかわる健康と権利を守る。
5・a　女性が土地やその他の財産などを利用できるようにする。
5・b　女性の能力を高めるために、技術を身につける機会を充実させる。
5・c　SDGs目標5を達成できるように適正な政策や拘束力のある法律をつくる。

テーマ

安全な水とトイレを世界中に

目標 すべての人々の水と衛生の利用可能性と持続可能な管理を確保する

6・1　すべての人が安全で安い価格の水を飲んだりつかったりできるようにする。

6・2　すべての人が外で排泄しないですむように、トイレと下水施設を整備する。

6・3　汚染物質やごみを減らして水質をよくする。

6・4　汚水のつかい方を改善して、水不足に悩む人を減らす。

6・5　国境をこえて水資源を管理する。

6・6　水の生態系を守る。

6・a　国際協力により、開発途上国でも水の再利用ができるようにする。

6・b　水やトイレを管理する地域コミュニティを強化する。

テーマ

エネルギーをみんなにそしてクリーンに

目標 すべての人々の、安価かつ信頼できる持続可能な近代的エネルギーへのアクセスを確保する

7・1　すべての人びとが安くて信頼できる電気を利用できるようにする。

7・2　再生可能エネルギーの割合を大幅に増やす。

7・3　世界のエネルギー効率を大きく改善させる。

7・a　国際協力を強化してエネルギー関連のインフラやクリーンエネルギーの技術にお金をかける。

7・b　後発開発途上国の人びとが、持続可能なエネルギーをつかえるようにする。

8 働きがいも経済成長も

テーマ

働きがいも経済成長も

目標 包摂的かつ持続可能な経済成長及びすべての人々の完全かつ生産的な雇用と働きがいのある人間らしい雇用（ディーセント・ワーク）を促進する

8・1　後発開発途上国の経済成長率を年7％にたもち、経済成長が続くようにする。

8・2　経済の生産性を高めていく。

8・3　仕事をつくりだして中小零細企業を応援する。

8・4　資源を効率よくつかって経済成長が環境悪化の原因にならないようにする。

8・5　すべての人が働きがいのある仕事をして、平等に賃金を得られるようにする。

8・6　2020年までに仕事のない若者を減らす。

8・7　2025年までに強制労働、人身売買、児童労働、児童兵士をなくす。

8・8　すべての人にとって安心・安全な労働環境をつくる。

8・9　持続可能な観光業を支援する。

8・10　すべての人が銀行や保険を利用しやすくする。

8・a　開発途上国に対する貿易のための支援を拡大する。

8・b　2020年までに、世界中の若者が仕事につけるようにする。

テーマ

産業と技術革新の基盤をつくろう

目標 強靭（きょうじん）（レジリエント）なインフラ構築、包摂的かつ持続可能な産業化の促進及びイノベーションの推進を図る

9・1　経済を発展させて福祉を強化するために、災害に強い持続可能なインフラをつくる。

9・2　産業化を進めて、たくさんの仕事をつくる。とくに後発開発途上国で強化する。

9・3　開発途上国の小さな製造業でもかんたんに資金を集められるようにする。

9・4　資源をうまく利用し、環境にやさしい技術をつかって、インフラや産業を持続可能にする。

9・5　すべての国ぐにが研究開発をおこなって技術能力を高めていけるようにする。

9・a　開発途上国（とくに後発開発途上国）のインフラを持続可能で強靭なものにする。

9・b　さまざまな産業を発展させて、開発途上国の技術開発やイノベーションを支援する。

9・c　2020年までに後発開発途上国の人びともインターネットを利用できるようにする。

10 人や国の不平等をなくそう

テーマ　人や国の不平等をなくそう

目標　各国内及び各国間の不平等を是正する

10・1　貧しい人たちの所得をふやしていくスピードを、国全体の平均よりはやくする。

10・2　だれもが取りのこされないように、すべての人の能力を高める。

10・3　差別的な法律や慣習をなくして平等な社会をめざす。

10・4　税金や賃金、社会保障などに関する政策を実行して平等な社会をめざす。

10・5　金融機関がしっかりと役割を果たせるように規制を強める。

10・6　世界経済において開発途上国の参加と発言力を高める。

10・7　外国への移住は計画にもとづいておこなうようにする。

10・a　開発途上国を貿易面で優遇する。

10・b　各政府開発援助（ODA）などにより、もっとも必要としている国ぐにに対し資金を流していく。

10・c　外国に移住した人が自分の国にお金を送るときの手数料を3％未満にする。

テーマ 住み続けられるまちづくりを

目標 包摂的で安全かつ強靭（レジリエント）で持続可能な都市及び人間居住を実現する

11・1 安全で安い家に住んで下水道やガスをつかえるようにする。スラム街を改善する。

11・2 社会で弱い立場にある人たちが持続可能な交通機関を安全に、そして安く利用できるようにする。

11・3 地域の人がまちづくりの計画や運営に参加できるようにする。

11・4 世界文化遺産と世界自然遺産を保護・保全する。

11・5 水災害の死者や被災者、まちや産業の被害を大幅に減らす。

11・6 大気汚染や廃棄物を管理し、環境悪化を減らす。

11・7 だれでも安全に利用できる緑地や公共スペースを増やす。

11・a 都市部と郊外・農村部とがよいつながりを続けていけるよう支援する。

11・b ２０２０年までに災害から復旧する力がある都市や人間居住地の数を大幅に増やすよう支援する。

11・c 後発開発途上国が自国にある資材で強靭な建造物をつくれるように支援する。

テーマ つくる責任つかう責任

目標 持続可能な生産消費形態を確保する

12・1 持続可能な消費と生産をすべての国で実施する。

12・2 天然資源の持続可能な管理とじょうずなつかい方ができるようにする。

12・3 すてられる食料を半分にし、生産者から消費者にくるあいだにすてられる食料を減らす。

12・4 ２０２０年までに化学物質や廃棄物を正しく管理し、大気、川や海、土のなかへの放出を大幅に減らす。

12・5 廃棄物を３Rにより大幅に減らす。

12・6 大企業や多国籍企業に、持続可能な取り組みをさせる。また、その取り組みを定期的に報告させる。

12・7　国や自治体は持続可能な商品やサービスを買うようにする。

12・8　持続可能な開発や自然とともにあるくらしについて人びとの意識が高まるようにする。

12・a　開発途上国が持続可能な生産と消費を進められるよう科学技術を支援する。

12・b　持続可能な開発が観光業にどんな影響をあたえるのかわかるようにする。

12・c　化石燃料のむだづかいにつながる補助金や税制をやめていく。

テーマ

気候変動に具体的な対策を

目標　気候変動及びその影響を軽減するための緊急対策を講じる

13・1　気候変動によって起こる災害に対し国を強くする。

13・2　世界が合意した気候変動対策をすべての国の政策・計画に盛りこむ。

13・3　気候変動に関する教育や知識を広める。

13・a　２０２０年までに開発途上国の地球温暖化対策の資金を集める。

13・b　とくに弱い立場の人びとや地域のために気候変動対策に必要な能力を向上させる。

テーマ

海の豊かさを守ろう

目標　持続可能な開発のために海洋・海洋資源を保全し、持続可能な形で利用する

14・1　２０２５年までにあらゆる種類の海洋汚染を大幅に削減する。

14・2　２０２０年までに海洋と沿岸の生態系を回復させる。

14・3　科学的協力を通じて、海洋酸性化の影響を最小限におさえる。

14・4　２０２０年までに漁獲を規制し過剰漁業や違法な漁業をやめる。科学的な管理計画をつくる。

14・5　2020年までに沿岸域と海域の10％を保全する。
14・6　2020年までに漁業のためのさまざまな補助金を見直す。
14・7　海洋資源の持続的な利用によって、開発のおくれた国ぐにに利益をもたらす。
14・a　海洋に関する科学的知識を増やし研究能力を高め海洋技術の移転をおこなう。
14・b　家族だけで漁業をしてくらしている人たちも市場を利用できるようにする。
14・c　海洋と海洋資源を保全し、その持続可能な利用を強化する。

15 陸の豊かさも守ろう

テーマ
陸の豊かさも守ろう

目標 陸域生態系の保護、回復、持続可能な利用の推進、持続可能な森林の経営、砂漠化への対処、ならびに土地の劣化の阻止・回復及び生物多様性の損失を阻止する

15・1　陸の生態系を保護し持続可能な利用ができるようにする。
15・2　2020年までに世界の森林の減少を食いとめ、植林を大幅に増加させる。
15・3　砂漠化をとめる。劣化した土壌を回復させる。
15・4　生物多様性をふくむ山地生態系をしっかり守る。
15・5　2020年までに生物の絶滅を防ぐための対策をおこなう。
15・6　遺伝資源の適切な利用を推進する。
15・7　密猟や違法取り引きを撲滅するための緊急対策をつくり違法な野生生物製品の売買をやめさせる。
15・8　2020年までに外来種が入ってくるのをとめる。とくにふえすぎた外来種は駆除する。
15・9　2020年までに国や地方が、生態系や生物多様性に関する計画と予算を立てる。
15・a　生物多様性と生態系の保全と持続的な利用のためにあらゆるところからお金を集める。
15・b　森林経営をするためのお金を集めて開発途上国にわたす。

15・c　密猟や違法な取り引きにいっそう強く立ちむかう。

テーマ
平和と公正をすべての人に

目標　持続可能な開発のための平和で包摂的な社会を促進し、すべての人々に司法へのアクセスを提供し、あらゆるレベルにおいて効果的で説明責任のある包摂的な制度を構築する

16・1　暴力と暴力による死を大きく減らす。

16・2　子どもに対する虐待などをなくす。

16・3　すべての人が法律にしたがうようにする。そして、裁判所などを平等に利用できるようにする。

16・4　違法な資金や武器の取り引きを大きく減らし組織犯罪をなくす。

16・5　あらゆる形の汚職や賄賂を大きく減らす。

16・6　透明性の高い政府や公共機関にする。

16・7　いろいろな立場の人たちが参加する場で、みんなの意見を聞いて政策を決定する。

16・8　開発途上国が世界の問題をあつかう国際機関にもっと積極的に参加するようにする。

16・9　すべての人が出生登録などの身分証明を得られるようにする。

16・10　だれもが公的な情報を得て基本的人権が守られるようにする。

16・a　世界中で、とくに開発途上国で、暴力、テロ・犯罪をなくすために国どうしで協力する。

16・b　差別をなくす法律や政策をつくって実行する。

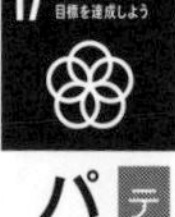

テーマ
パートナーシップで目標を達成しよう

目標　持続可能な開発のための実施手段を強化し、グローバル・パートナーシップを活性化する

17・1　国内資金を積極的に集めるためにしっかりした税制をつくる。

17・2　開発途上国に対する政府開発援助（ODA）を増加する。ODA供与国が、少なくともGNI比0・20％の

ＯＤＡを後発開発途上国に供与するという目標の設定を検討することを奨励する。

17・3　開発途上国にいろいろな資金が届くようにする。

17・4　開発途上国が債務を返せなくならないように支援する。

17・5　後発開発途上国への投資を進める。

17・6　いろいろな国際協力を通じて科学技術イノベーションをさかんにする。

17・7　開発途上国で環境にやさしい技術を開発・普及することができるようにする。

17・8　２０１７年までに後発開発途上国の人びとが情報通信技術を利用できるようにする。

17・9　開発途上国の能力を高めるためにいろいろなパートナーシップで支援をおこなう。

17・10　公平な世界の貿易体制を進める。

17・11　開発途上国、とくに後発開発途上国の輸出を大幅に増やす。

17・12　すべての後発開発途上国が関税なしで輸出できるようにする。

17・13　世界の国ぐにが協調することで、世界の経済をより安定させる。

17・14　持続可能な開発のため一貫した政策をおこなう。

17・15　ＳＤＧｓを達成するためそれぞれの国のやり方を尊重する。

17・16　グローバル・パートナーシップを強化する。

17・17　政府、企業、ＮＧＯのパートナーシップを進める。

17・18　２０２０年までに開発途上国のデータを集めて、活用する能力を高める。

17・19　ＳＤＧｓ達成度をはかるＧＤＰ以外の尺度をつくる。開発途上国の統計能力強化を支援する。

資料②　改めてＥＳＤ

ＥＳＤ（イーエスディー）は、英語のEducation for Sustainable Developmentの略で「持続可能な開発のための教育」。日本発で、世界に広まったプログラムです。

以前から熱心に行われていた！

ＥＳＤは「気候変動や生物多様性の喪失、資源の枯渇、貧困や飢餓など、さまざまな問題について地球を将来にわたり持続可能にしていくようにすべての人ができることに身近なところで取り組むことをめざす教育」（文部科学省）のことですが、環境教育を熱心に行っていた日本が、２００２年に行われた「持続可能な開発に関する世界首脳会議」[＊1]の際、世界に向けてその必要性を提唱したものでした。結果、ＥＳＤは、２０１５年にＳＤＧｓが国連サミットで採択されるずっと前から世界中に知られるようになっていたのです[＊2]。

もとより、日本で環境教育が始まったのは、１９６０年代[＊3]。高度経済成長に伴って公害や自然保護に関する教育が行われるようになると、環境教育に関する項目が様々な法律に盛りこまれました。

＊1　１９９２年に開催された国連環境開発会議（地球サミット）から10年目となる２００２年に国連主宰で行われた首脳会議。国連環境開発会議において定まった21世紀に向けての環境を守るための行動計画「アジェンダ21」の見直しや、新しく生まれた課題について議論が交わされた。

＊2　右記と同じ２０２２年に開かれた第57回国連総会で採択された「国連持続可能な開発のための教育の10年」などにより、ＥＳＤは世界じゅうに知られるようになった。

＊3　日本では、「持続可能な開発のための教育」が世界でさけばれる前から、学校で教育がされてきたという

ＳＤＧｓが発表されると、ＥＳＤは「ＳＤＧｓの17すべての目標の実現に寄与するものである」と考えられるようになり、２０１７年3月に公示された「幼稚園教育要領」「小・中学校学習指導要領」、および２０１８年3月公示の「高等学校学習指導要領」において、ＥＳＤは益々重視されました。

下の図はＥＳＤの基本的な考え方を図解したもの。ＳＤＧｓの目標と重なっていることがわかります。

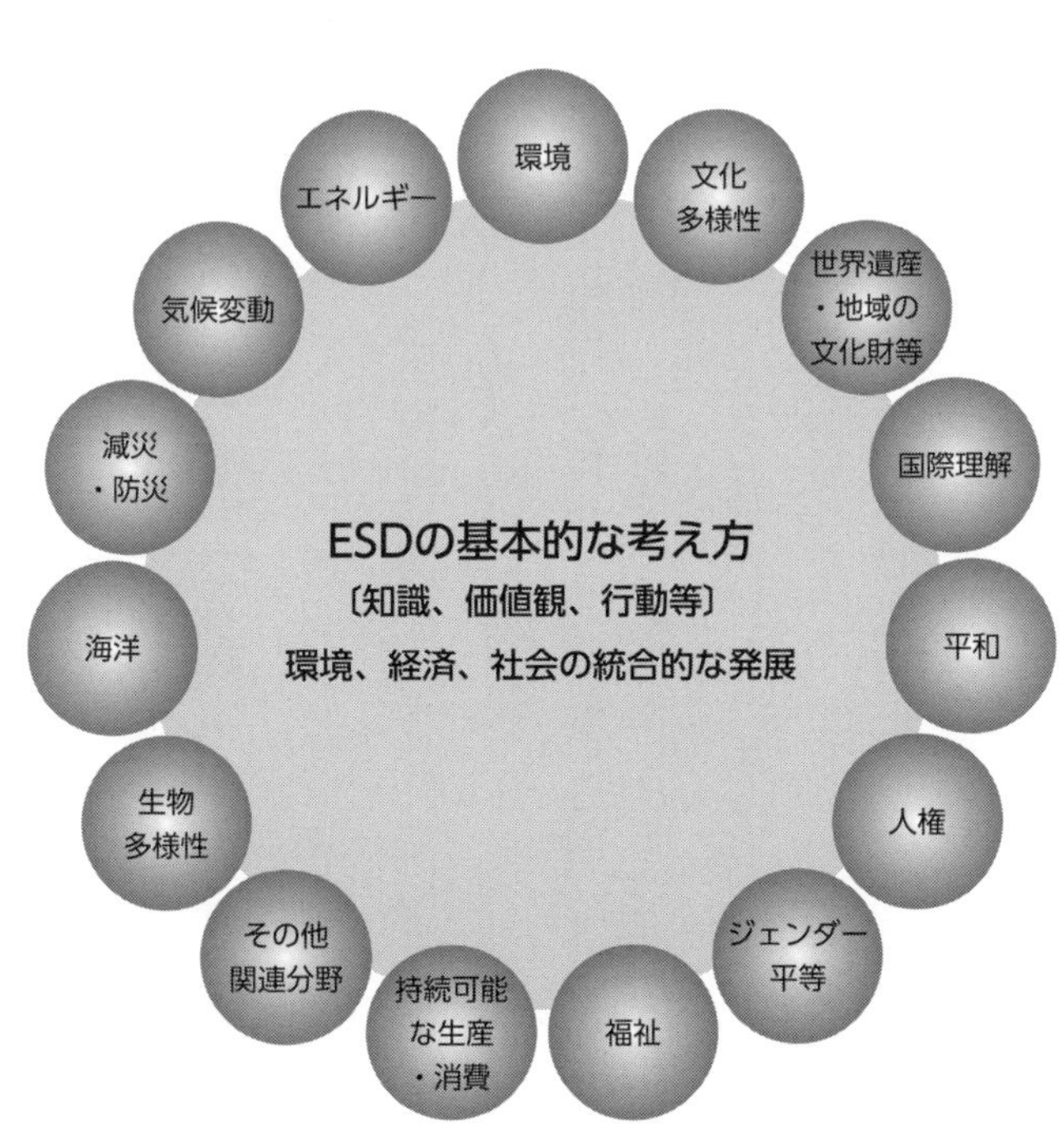

文部科学省「持続可能な開発のための教育」より

こと。ＳＤＧｓの目標達成のためにＥＳＤを意識することなく、多くの国民が既に実践していたわけだ。

資料③ 大阪・関西万博の会場建設費について

大阪・関西万博の入場者数は、2820万人を見込んでいるといいます。この数は、近年の世界の万博の来場者実績を見てもかなり強気かもしれません。

資材価格高騰で当初予算の1・5倍に増額

大阪・関西万博の参加は、150か国、25の国際機関が予定されています。また、想定来場者数は、延2820万人。当初、万博会場の建設費は、1250億円とされていました。万博の会場建設費は国と大阪府・大阪市、経済界の3者が3分の1ずつ負担する仕組みになっていますが、大屋根[*1]（リング）など、会場デザインを具体化する中で、建築単価の上昇も反映した結果、1850億円になりました。

今の建設資材の価格は、2年前と比べ、現実3割増になっているといわれています。ロシアのウクライナ侵攻による木材供給などの不安定化や円安による輸入コストの増大などにより、建設資材の値上がりは、この後も大きな不安材料です。

それでも、そうした懸念をよそに国や自治体は、1850億以内で収める姿勢を崩していません。

＊1 2025年大阪・関西万博会場のシンボルでもあるリング状の大屋根。建築面積（水平投影面積）約6万㎡、高さ12ｍ（外側は20ｍ）、内径約615ｍとなる予定（→P227）。

＊2 公式参加パビリオン（→P242）は、パビリオンの設計、建設方法によって次の3つに分けられる。「敷地渡し方式（パビリオンタイプA）」はそのうちのひとつ。
・パビリオンタイプA（敷地渡し方式）：日本側が参加者に敷地を渡し、参加者はその敷地内で自由にパビリオンを構成できる。
・パビリオンタイプB（建物渡し方式）：日本側がパビリオンを建築し、参加者に提供。

開幕まで残り2年となる2023年の春には、パビリオンなどの建設が本格化。参加表明をしている150を超える国のうち、敷地渡し方式[*2]でパビリオンを建設する参加国に会場の割り当て区画が順次引き渡され、パビリオンの建設工事がスタートしました。

大阪・関西万博の資金計画

収入（億円）		支出（億円）	
国庫補助金収入	617	会場建設費	
大阪府・大阪市補助金収入	617	施設整備費	1,180
民間資金等収入	617	基盤・インフラ整備費	670
計	1,850	計	1,850
入場券売上	702	運営費	809
その他収入	107		
計	809		
収入計	2,659	支出計	2,659

※端数処理のため合計額が一致しないことがある。
※会場建設費は、最大の額として 1,850 億円を計上。

出典：2025 年日本国際博覧会基本計画（https://www.expo2025.or.jp/wp/wp-content/themes/expo2025orjp_2022/assets/pdf/masterplan/expo2025_masterplan.pdf）

・パビリオンタイプC（共同館方式）：日本側がパビリオン内の一部区画を引き渡し、参加者は区画内で展示設備や内装を行う。なお、P243の会場配置図内、パビリオンにふられているA、B、C表記は、パビリオンタイプA、B、Cのことを指している。

資料④　万博公式キャラクターの役割を考える

大阪・関西万博の公式キャラクター「ミャクミャク」は、デザインも愛称も一般公募で選ばれ話題に。その存在は、万博を盛り上げるうえで欠かせません。

公式キャラクターは万博テーマの体現？

万博に初めて公式キャラクターが登場したのは、1984年のニューオリンズ万博（→P99）。この万博自体は大赤字に終わりましたが、キャラクターの登場はその後も継続。公式ロゴマークとともに万博のテーマやコンセプト、目的を伝える上で重要な役割を担っています。また、開催前から様々な場面で万博を盛り上げる存在でもあり、グッズ化による経済効果も期待されています。

二次創作ＯＫな公式キャラクター

大阪・関西万博の公式キャラクターは「ミャクミャク（英字：MYAKU-MYAKU）」[*1]。公式ロゴマークとともに、そのユニークな見た目が話題となり、二次創作[*2]のファンアートが大量に生まれました。２０２５年日本国際博覧会協会（→P232）は、「ＳＮＳなどにおいてミャクミャクへの様々なご感想やご評価、二次創作を発信いただいているこ

＊1　一般公募され、約1900件の中から選ばれたデザインを元に、名前も一般公募。3万3000件以上のなかで2名が「ミャクミャク」と命名。それぞれのコンセプトは次のとおり。「『脈々』と受け継がれてきた私たち人間のDNA、知恵と技術、歴史や文化。キャラクターは、私たち人間の素晴らしさをこれからも『脈々』と未来に受け継いでいってくれるはず」「「赤色と青色が動脈と静脈を連想させたため」。

＊2　既存の作品をもとに、新たな作品を創作すること。とくに、マンガやアニメなどのキャラクター、世界観などをつかって独自の作品を創作することを

とについて、重ねて感謝いたします」とコメント。「皆様に二次創作活動を楽しんでいただき、より一層、大阪・関西万博に関心を寄せていただきたい」とし、2022年8月、「大阪・関西万博公式キャラクター二次創作ガイドライン」を発表しました。非営利目的かつ個人的な利用であれば、ミャクミャクの二次創作や創作物のSNS等への投稿を認めるとしたのです[＊3]。

本来、二次創作は権利者に許可を得る必要があり、著作権的にはグレーゾーンだとされています。ですが、協会がガイドラインで明確なルールを定めたことで、SNS上ではミャクミャクの二次創作イラストや動画が多数投稿され、親しみをもって「ミャクミャク様」と呼ばれるようになりました。このようにしてミャクミャクは、デジタルネイティブ世代（Z世代→P270）などの若年層にも受け入れられ、万博の周知に繋がっていったのです。

公式キャラクター、ミャクミャク。青い体は「清い水」で、自由に形を変えることができることから、多様性を表している。

© Expo 2025

「ミャクミャク」ファンアート（二次創作）の一例。

©にしにし

指す。

＊3　許諾される使用例としては、非営利目的でミャクミャクに似たデザインの作品（絵画やデジタル画像、ぬいぐるみ、衣装等）を制作したり、二次創作物を個人のSNSやブログに投稿したりすること。主な禁止事項は次のとおり。①営利目的で二次創作物を販売・配布すること②企業や事業の宣伝に使うこと③ミャクミャクやその二次創作物を中傷に使ったり、宗教や政治など特定の思想や信条の批判・助長に使ったりすること。なお、ガイドラインに違反した場合は二次創作物の利用中止を求める場合があるとしている。

エピローグ・万博復習クイズ

答え↓P313

この本の最後は、復習クイズです。「万博」や「大阪・関西万博」について、どのくらいの知識がついたでしょうか。⇩で示されているページを見ると、ヒントが書かれています。答えがわからなかったり、まちがったりした問題は、もう一度、本文を読み返してみてください。

【初級編】 ○か×でお答えください

①古代ローマでも、現代の博覧会のようなものが行われていた。○／×　⇩P28

②フランスのルイ11世は1475年、イギリス・ロンドンでフランス物産展を開催。これが近代博覧会の原型となった。○／×　⇩P29

③日本人が万博に初めて参加したのは、明治時代に入ってからである。○／×　⇩P34

④明治政府が初めて正式に参加した万博は、1873年のウィーン万博である。○／×　⇩P36

⑤日本国内で1871年に初めて万博に似た博覧会が開かれた都市は横浜だ。○／×　⇩P36

⑥1871〜1928年まで、日本の博覧会は神社を会場に行われていた。○／×　⇩P36

⑦明治時代に万博をきっかけにしてヨーロッパで起こった日本ブームを「ジャポニズム」と呼ぶ。○／×　⇩P60

⑧オリンピックと同じように、万博でも優れた展示に対して「金賞」「銀賞」「銅賞」が贈られる。○／×　⇩P64

⑨現代の万博は、第一次世界大戦後の1928年にパ

リで締結された「国際博覧会条約（ＢＩＥ条約）」で決まった基準に従って開催されている。○／× ⇩Ｐ56

⑩日本で初めて万博が行われた都市は福岡市だ。○／× ⇩Ｐ166

⑪日本で初めて開催された万博の正式名は、「日本万国博覧会」である。○／× ⇩Ｐ166

⑫日本では、万博の展示場の建物を「パビリオン」と呼ぶ。○／× ⇩Ｐ95脚注

⑬オリンピックと万博、日本では東京オリンピックのほうが万博よりも早く開催された。○／× ⇩Ｐ166

⑭１９７０年3月14日午前11時、大阪万博の開会式は衛星テレビ中継により全世界に届けられた。○／× ⇩Ｐ166

⑮１９７０年の大阪万博のテーマソング『世界の国からこんにちは』を歌っていた歌手は三波春夫だけだ。○／× ⇩Ｐ167

⑯１９７０年の大阪万博には、回転ずしが出展していた。○／× ⇩Ｐ168

⑰１９７０年の大阪万博で、アメリカのパビリオンで展示されたのは、「火星の石」。○／× ⇩Ｐ167

⑱１９７０年の大阪万博の会場には、１日50～60万人が集散した。○／× ⇩Ｐ168

⑲１９７０年の大阪万博の会場から排出されたごみの合計は40万立方メートルにおよんだ。このため、大阪万博は「大量生産・大量消費の象徴」といわれた。○／× ⇩Ｐ170

⑳科学万博といわれたつくば万博の英語の表記には「科学」を表す単語が入っていない。○／× ⇩Ｐ176

㉑１９８５年のつくば万博が開かれた筑波研究学園都市は、埼玉県にある。○／× ⇩Ｐ176

㉒アジア初の国際園芸博覧会が行われたのは、日本の名古屋である。○／× ⇩Ｐ180

㉓日本で開かれた万博の中で「自然の叡智」をテーマに行われたのは、沖縄海洋博である。○／× ⇩Ｐ184

㉔２００５年に日本で開かれた愛知万博は、21世紀になって初の登録博である。○／× ⇩Ｐ184

㉕２０１７年、「未来のエネルギー」をテーマに開か

れたアスタナ万博の開催国は、インドである。○／×
⇩P190
㉖2021年に開催されたドバイ万博には、「サステナビリティ（持続可能性）パビリオン」という名前のパビリオンが登場した。○／×⇩P206
㉗2025年に日本で行われる大阪・関西万博の正式名称は「2025年日本万国博覧会」である。○／×
⇩P224
㉘2025年までに日本で万博が開かれた回数は4回である。○／×⇩P218
㉙2025年の大阪・関西万博のメインテーマは「いのち輝く未来社会のデザイン」である。○／×
⇩P230
㉚2025年の大阪・関西万博の目的のひとつは、国連が掲げるSDGs達成への貢献だ。○／×⇩P236

【中級編】 3つの選択肢から一つ選んで下さい

①古代オリンピックがあるように万博にも古代万博（博覧会）があるが、古代の博覧会は古代オリンピックより起源が ㋐古い ㋑同じ ㋒新しい
⇩P28
②1851年に開催された世界で最初の万国博覧会といわれる第1回万博の会場は？ ㋐パリ ㋑ロンドン ㋒ニューヨーク ⇩P30
③現代の万博のように「テーマ」を掲げ開催されたのはいつから？ ㋐1855年第1回パリ万博 ㋑1867年第2回パリ万博 ㋒1933年シカゴ万博 ⇩P44
④日本が初めて万博と出合ったのは、どれ？ ㋐1853年ニューヨーク万博 ㋑1862年第2回ロンドン万博 ㋒1867年の第2回パリ万博
⇩P34
⑤第2回パリ万博の見聞録『航西日記』を著したのは、次のうち誰か？ ㋐渋沢栄一 ㋑福沢諭吉 ㋒伊藤博文 ⇩P37
⑥万博では優れた展示に対して表彰する制度がある。1855年のパリ万博で「グランプリ」を受賞した

のは？　㋐バカラのクリスタルガラス　㋑エルメスのベルト　㋒ルイ・ヴィトンの鞄　⇩P159

⑦1876年フィラデルフィア万博で銀器部門の特別金賞、1878年パリ万博でグランプリを受賞。アメリカがヨーロッパに勝ったと評判になったブランドは？　㋐ラルフローレン　㋑ティファニー　㋒コーチ　⇩P160

⑧万博から世界に広がっていった楽器は、次のどれ？　㋐トランペット　㋑サックス　㋒尺八　⇩P144

⑨1855年のパリ万博でナポレオン3世が格付けをしたのは？　㋐ビール　㋑ウイスキー　㋒ワイン　⇩P146

⑩日本赤十字社が生まれるきっかけは、1867年のパリ万博だった。そこにいた日本人は？　㋐緒方洪庵　㋑佐野常民　㋒大村益次郎　⇩P148

⑪1878年のパリ万博で、金賞を受賞した香蘭社の美術工芸品は？　㋐有田焼　㋑九谷焼　㋒信楽焼　⇩P64

⑫「国際博覧会条約（BIE条約）」では、博覧会の性格により、博覧会を2種類に分類している。現在はどれ？　㋐登録博覧会と認定博覧会　㋑一般博覧会と特別博覧会　㋒国際博覧会と地方博覧会　⇩P62

⑬BIEに日本が加盟したのは、いつ？　㋐1931年　㋑1945年　㋒1965年　⇩P56

⑭第二次世界大戦の直前、日本は皇紀二千六百年を記念して万博を開催することを計画していたが、中止となった。幻の万博となった年は？　㋐1940年　㋑1945年　㋒1950年　⇩P38

⑮第二次世界大戦後、初めて大型万博が再開された都市は？　㋐ハイチ　㋑ブリュッセル　㋒シアトル　⇩P74

⑯1964年のニューヨーク万博で大人気を博した催しで万博後にディズニーランドに移設され、今でも人気を誇っているのは？　㋐スプラッシュ・マウンテン　㋑イッツ・ア・スモール・ワールド　㋒マジック・ジャーニー　⇩P87

⑰人類初の有人宇宙飛行をしたガガーリン飛行士の乗ったロケットのカプセルが展示されて人気を呼

んだのは？　㋐１９５８年ブリュッセル万博　㋑１９６２年シアトル万博　㋒１９６７年モントリオール万博　⇩P91

⑱中華人民共和国が初めて参加した万博は？　㋐１９８２年ノックスビル万博　㋑１９８４年ニューオリンズ万博　㋒１９８６年バンクーバー万博　⇩P96

⑲１９８４年のニューオリンズ万博で登場した万博史上初めてのマスコットは、どんな生き物？　㋐ウサギ　㋑ロバ　㋒ペリカン　⇩P99

⑳東西統一を果たしたドイツが統一ドイツとして参加した万博は？　㋐１９８８年ブリスベン万博　㋑１９９２年セビリア万博　㋒１９９８年リスボン万博　⇩P107

㉑20世紀最後の万博が行われた都市は？　㋐ドイツのハノーバー　㋑アメリカのニューヨーク　㋒イタリアのジェノア　⇩P114

㉒史上最大の入場者数となった万博が開催された都市は？　㋐ニューヨーク　㋑大阪　㋒上海　⇩P118

㉓２０１７年のアスタナ万博でテーマに取り上げられたものは？　㋐都市　㋑食　㋒エネルギー　⇩P124

㉔２０２０年に開催予定だったが、新型コロナウイルスのパンデミックにより1年延期となったのは？　㋐ドバイ万博　㋑ミラノ万博　㋒上海万博　⇩P126

㉕大阪・関西万博の会場となる人工島「夢洲」の読み方は？　㋐ゆめす　㋑ゆめしゅう　㋒ゆめしま　⇩P224

【上級編】　ズバリお答えください

①万博の開催地はBIE加盟国の無記名投票で決まる。投票総数のどれくらいを獲得すればいいの？　⇩P66

②１８６７年の第2回パリ万博にナポレオン3世から招待状をもらった人物は？　⇩P35

③１９３７年パリ万博のスペイン館に展示されたピカソの作品名は？　⇩P156

④１９５８年のブリュッセル万博の前年、世界最初の

人工衛星がソ連によって打ち上げられた。その名前は？　⇩Ｐ84

⑤１９６２年のシアトル万博の真っ最中に、アメリカとソ連が一触即発となりそうになった出来事は？　⇩Ｐ80

⑥初めて万博にテーマが掲げられたシカゴ万博。「○○の世紀」の○○に入るのは？　⇩Ｐ44

⑦日本で初めて開かれた万博の正式名称は「日本万国博覧会」。略称は？　⇩Ｐ166

⑧国際博覧会に関する条約の実務を担う政府間機関「ＢＩＥ」の本部はどこにある？　⇩Ｐ56

⑨１９６７年のモントリオール万博で、国際問題にもなりかねない問題発言を行った大統領の名前は？　⇩Ｐ92

⑩ＳＤＧｓ（「持続可能な開発目標」）が２０１５年に国連で発表される前に、「持続可能な開発」をテーマに行われた万博は？　⇩Ｐ116

⑪２０１５年のミラノ万博のテーマは「地球に○○を、生命にエネルギーを」。○○に入るのは？　⇩Ｐ122

⑫２０２０年のドバイ万博の中心的な施設「テラ」では、周囲の湿った空気からあるものをつくりだした。あるものとは？　⇩Ｐ206

⑬２０２５年の大阪・関西万博では、最先端科学技術に触れることができる。そのひとつ、既に実証実験で成功、実際に会場での商用運航を期待されているものは？　⇩Ｐ229

⑭大阪・関西万博では、「ＳＤＧｓ達成への貢献」として、一般の参加者が一緒に取り組める「○○チャレンジ」というプログラムがある。○○に入るのは？　⇩Ｐ240

⑮ＳＤＧｓの達成目標は２０３０年。そのため大阪・関西万博には「ＳＤＧｓ＋○○○○○（ＳＤＧｓの先の未来）」といわれる取り組みが期待されている。６文字の英語は？　⇩Ｐ236

あとがきにかえて

万博七不思議

稲葉茂勝

僕は、この本の「はじめに」で「万博そのものを、また、2025年の大阪・関西万博についてそして、SDGs（エスディージーズ）との関係などをわかりやすく、且つ、より多くの人に興味関心を持ってもらえるように解説することができるのは、僕たちの他にはそうはいない」と記しています。ですが、脱稿するに際し、果たしてどれだけのことができたのか、読者のみなさんにどのくらい満足していただけたのか、とても不安でいます。それでも、万博とSDGsとの関係については、自分たちなりに最大限のことができたと思いたい！

しかし、右に自分で掲げた、この本の課題を分けて自己評価してみると、やはり、冒頭の「万博そのもの」についてが、とりわけ心配になっています。

万博は、国威発揚の場であり、企業などのプレゼンテーションのチャンスでありながら、人類の夢を語る崇高なテーマを掲げることで、国や企業の本音が見事に包み込まれ、一般の人々にとっては、「そもそも万博って何をする場所？　テーマパークみたいなもの？」（→P3）と感じる場所になってしまっています。僕たちは「そうじゃないんだ。こうなんだ」と説明したくて、かなり集中して調べまくりました。渡邉優氏は、できる限りBIE（ビーアイイー）の考えを原書に当たって調べてきました。

ところが、万博という壮大な人類の記録は、調べれば調べるほどわからなくなることが多く出てきてしまいました。「存在自体は知っているものの、詳細を調べるほど関心がないという方が多い」といわれていますが、「それはしかたないよ。たいへんすぎるよ……」。

そんな思いでいたときです。ふと「歴史のロマン」といった言葉が浮かんできたのです。謎が多いぶん、いろいろと想像することができるのです。

「ロマン」といって片付けるなんて、いい加減だとお叱りを受けそうですが、渋沢栄一が、江戸の末期にパリ万博に行った経緯は調べられるし、西洋の進んだものを見てきた渋沢が明治時代に何をしたかも調べられる。でも、万博を目にした彼が、何を思い描いたかを想像するのはロマンのような気がします。

その時代、その場を想像し、そこに生きる人たちが何を想ったのかを考える材料を少しでも書き出せたなら、いいのではないだろうか。

74ページに、第二次世界大戦の終結間もない時に「平和の祭典」といった素晴らしいテーマを掲げた万博も、自国に世界の目を向けさせて観光業を振興することだったと記しました。こういう現実も、調べれば出てきます。しかし、当時、半年間にわずか50万人ほども集客できないことがわかっていながら、万博を招致するのです。そうしようとした人たちには、野心がありました。もしかすると「ロマン」を描いた人もいたかもしれません。

そんなことを考えながら、僕たちがどうしてもわからなかったことや、ぜひ注目すべきことを七つ、最後に書いて、この本を脱稿させていただきます。「万博七不思議」です。

一つ、1851年にロンドンのハイドパークで開かれた大博覧会が、正式名称「第1回ロンドン万国博覧会」とされ、それが万博の始まりとされている。19世紀の中頃には定期市や博覧会が、フランスのパリやイギリスのロンドンなどで度々開かれていながら。

一つ、第2回オリンピックパリ大会は、1900年5月14日から10月28日まで5か月以上と長期間に及んだ。その理由は、パリ万博(4月15日~11月12日)の附属大会として行われていたこと。

一つ、オリンピックのIOC(アイオーシー)は誰でも知っているが、BIEという組織はほとんど知られていないこと。

一つ、万博では優れた展示に対し表彰するという褒賞制度があり、オリンピックのように金・銀・銅賞が贈られていること。

一つ、ＳＤＧｓの目標達成期限まであと5年の２０２５年、大阪・関西万博でＳＤＧｓのラストスパートを切ることができ、その後、日本が、ＳＤＧｓの目標達成への道を切り開く「道標」になること。

一つ、大阪・関西万博で展示された空飛ぶクルマ、人と共存するロボット、自動翻訳が活躍する「Society（ソサエティ） 5.0」と呼ばれる多様性や包摂性のある持続可能な社会が実現すること。

一つ、ロシアによる攻撃が続く中、ウクライナが、２０３０年に南部オデーサでの万博開催に立候補。対抗都市は、釜山（プサン）（韓国）、ローマ（イタリア）、リヤド（サウジアラビア）だ。しかし戦火は拡大の一途で、２０２３年6月、ウクライナは候補から外れてしまい、結果辞退。11月に3都市のどこかに決まることになった。ウクライナの開催が実現すれば「復興万博」だった。

最後の一つは「ロマン」といってはいけない、人類の願いだと考えています。ここまでお読みいただいたことを感謝します。ありがとうございました。

２０２３年6月

私たちにとって万博とは何か？

渡邉　優

万博は「ロマン」であり、「不思議」でもあるのは、間違いありませんが、在スペイン大使館に勤務していた1992年のセビリア万博と2008年のサラゴサ万博で、外務本省で西欧を担当していた時には1998年のリスボン万博で、1990年の国際花と緑の博覧会にも仕事上かかわってきた私はというと、万博の大ファン。2025年大阪・関西万博の招致活動で、「いのち輝く未来社会のデザイン」を熱く説き、くいだおれ太郎のマスコットを手にして、日本と大阪の魅力を訴える仕事に携われたのは、ファン冥利に尽きるものでした。

万博は、私にとって「とてつもない大事業」であり、「非日常を体験する場」であり、「近未来への希望」を与えてくれる機会でした。

万博が「とてつもない大事業」であることは、オリンピックと比べてみるとよくわかります。期間は3週間対3か月（認定博）または6か月（登録博）、観客は340万人（北京オリンピック）対7300万人（上海万博）と桁が違います。オリンピックの入場券を入手できても全種目・全競技を観られません。ところが、その気さえあれば万博では、すべてのパビリオンを見て回ることができます。さらには会期の終了後も残された数多くの「遺産」で、いつまでも余韻を楽しめます。

「非日常を体験する場」とは、文字どおり、万博会場に居ながらにして、日常接することのない世界や出来事を見聞・体験できることです。

１９７０年の大阪万博のときに中学生だった私は、生まれて初めて外国人を身近に見てドキドキしながら覚えたての英語で話しかけたことを思い出します。珍しい世界の文物に触れたり、４時間並んで「月の石」を見たり、それほど並ばなかったような記憶の「ソユーズ」も……。外務省勤務を志した一つのきっかけが大阪万博で、「夢」を与えてくれたのも、万博でした。

「近未来への希望」を与えてくれるのも万博の特徴であり大きな魅力です。

かつての夢だったワイヤレス・テレフォン、電気自動車、リニアモーターカーは、どれも万博で展示されたのち、あっという間に現実のものになりました。２０２５年の万博では、空飛ぶ自動車や、人と共存するロボット、自動翻訳などの技術が現代人の夢として展示されますが、その「夢」も着実に実現されていくでしょう。

国際博覧会条約の第1条に、博覧会とは「公衆の教育を主たる目的とする催し」云々と書かれていますが、これはつかみどころがありません。

実は、それぞれの万博が開催地の特色を打ち出しつつ、時代にふさわしいテーマの下で発信してきた新しいメッセージが、各万博の目的でした。

振り返れば、１９７０年の大阪万博のテーマは「人類の進歩と調和」。「進歩」は、１９６９年の人類初の月面着陸がその象徴。一方の「調和」は、公害問題が背景にありました。２０２１年に開催されたドバイ万博は「心をつなぎ、未来を創る」のテーマの下で、気候変動、健康・福祉、不平等といったＳＤＧｓの目標が、新たなメッセージとなっていました（↓P46 主な万博とテーマ一覧）。そして、２０２５年の大阪・関西万博は、「いのち輝く未来社会のデザイン」をテーマに掲げましたが、その２０２５年万博に、わたしたちは何を期待できるのでしょうか。

この本を手に取り、ここまでお読みくださった方に対し、心よりお礼を申し上げるとともに、読者のみなさんにとっても、２０２５年の大阪・関西万博、そしてその後の万博を言わば我が事としてとらえ、関心を深めていただけるのに多少なりとも貢献できたとすれば、望外の幸せです。

尚、この場を借りて、万博の大ファンの私にこの本にかかわらせてくださったミネルヴァ書房杉田啓三社長に、稲葉茂勝氏と共に深く感謝の意を評します。

２０２３年６月

万博復習クイズ・答え

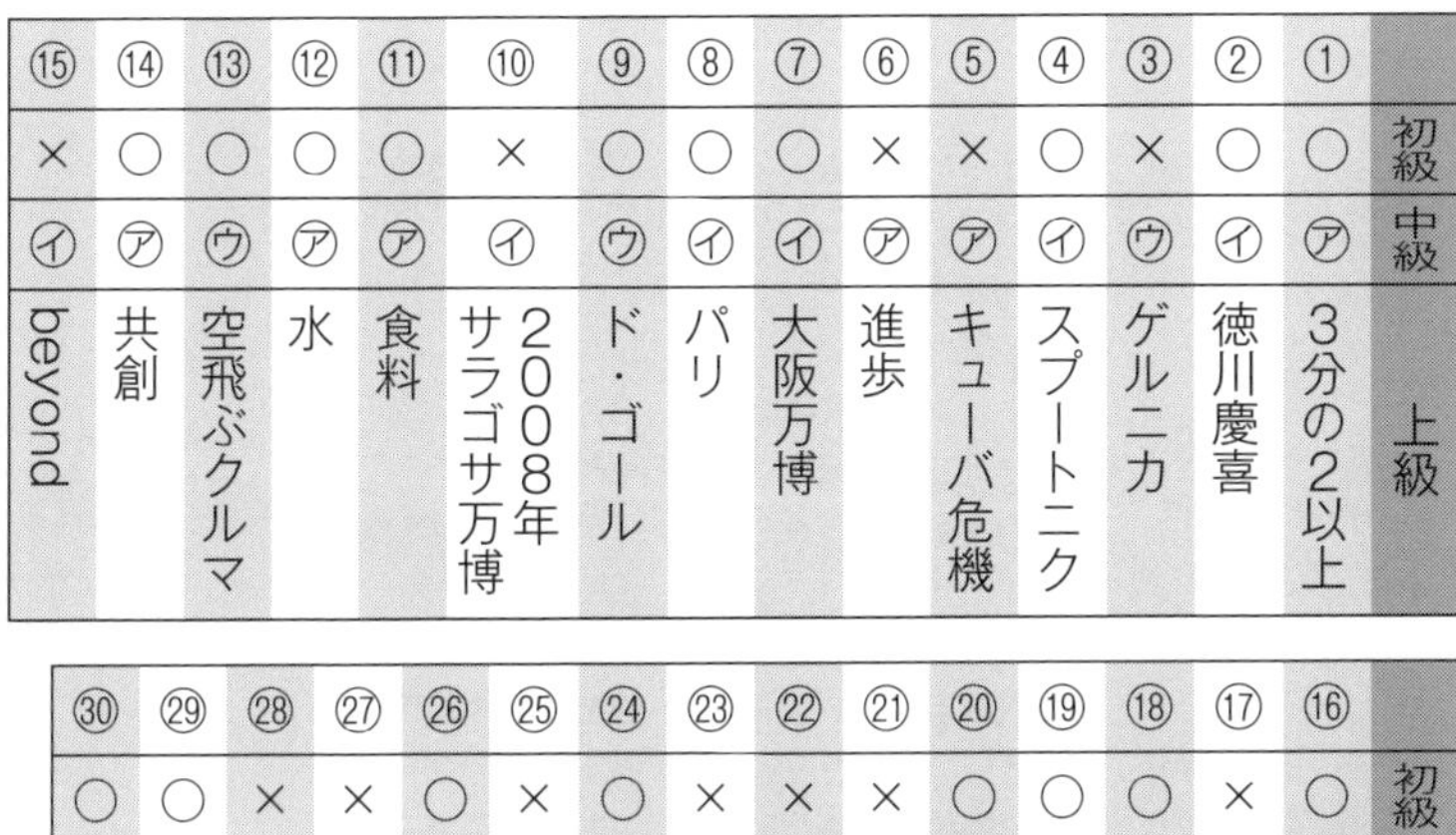

	初級	中級	上級
①	○	㋐	3分の2以上
②	○	㋑	徳川慶喜
③	×	㋒	ゲルニカ
④	○	㋑	スプートニク
⑤	×	㋐	キューバ危機
⑥	×	㋐	進歩
⑦	○	㋑	大阪万博
⑧	○	㋑	パリ
⑨	○	㋒	ド・ゴール
⑩	×	㋑	2008年サラゴサ万博
⑪	○	㋐	食料
⑫	○	㋐	水
⑬	○	㋒	空飛ぶクルマ
⑭	○	㋐	共創
⑮	×	㋑	beyond

	初級	中級
⑯	○	㋑
⑰	×	㋒
⑱	○	㋐
⑲	○	㋒
⑳	○	㋑
㉑	×	㋐
㉒	×	㋒
㉓	×	㋒
㉔	○	㋐
㉕	×	㋒
㉖	○	
㉗	×	
㉘	×	
㉙	○	
㉚	○	

■写真提供

(巻頭iv、P5上、P169) 写真：Picture Alliance/アフロ

(巻頭v) 写真提供　共同通信社/ユニフォトプレス

(巻頭v) nouvelle / PIXTA (ピクスタ)

(巻頭vi) masamura / PIXTA (ピクスタ)

(巻頭vii) © Robert Van 't Hoenderdaal ¦ Dreamstime.com

(巻頭viii) tpgimages

(P7右、P8右、P13右、P21下、P22上、P22下、P23、P36、 P59右、P149左、P159上、P159下、P160上、P160中、P160下) 国立国会図書館ウェブサイト

(P15右、P195) © Bo Li ¦ Dreamstime.com

(P15左、P197) © Maurodp75 ¦ Dreamstime.com

(P16右、P205) Ryuji / PIXTA (ピクスタ)

(P16左、P213) © Sjors737 ¦ Dreamstime.com

(P17右、P255) 写真：Newscom/アフロ

(P17左、P279) rawpixel

(P64、65) 株式会社　香蘭社

(P123) ©Danilo Mongiello ¦ Dreamstime.com

(P138下) andersphoto-stock.adobe.com

(P155) 写真：AP / アフロ

(P157) 安土城天主 信長の館 (近江八幡市) 蔵

(P171) 東京都環境局

(P175) Daniel Jedzura-stock.adobe.com

(P191) © Ferguswang ¦ Dreamstime.com

(P193) © Alejandro27 ¦ Dreamstime.com

(P211) ROBIN / PIXTA (ピクスタ)

(P215) 日立造船株式会社

(P219) ISO8000 / PIXTA (ピクスタ)

(P251) © Mrazzzzz ¦ Dreamstime.com

(P261) 写真：新華社/アフロ

(P275) © Insjoy ¦ Dreamstime.com

(P277) スムース / PIXTA (ピクスタ)

「世界の国からこんにちは」JASRAC 出 2303666-301

■参考資料

『万国博覧会の二十世紀』 海野弘／平凡社新書　2013年

『万博の歴史　大阪万博はなぜ最強たり得たのか』 平野暁臣／発行：小学館クリエイティブ、発売：小学館　2016年

『地上最大の行事　万国博覧会』堺屋太一／光文社新書　2018年

『万博学』 佐野真由子編／思文閣出版　2020年

『博覧会の世紀1851-1970』 著・監修：橋爪伸也、編集：乃村工藝社／青幻舎　2021年

『万博100の物語 EXPO 100 STORIES 1851-2025』 久島伸昭／発行：ヨシモトブックス、発売：ワニブックス　2022年

BIEホームページ (英語版)
https://www.bie-paris.org/site/en/

EXPO 2025
https://www.expo2025.or.jp/

外務省ホームページ「日本における国際博覧会」
https://www.mofa.go.jp/mofaj/gaiko/hakurankai/banpaku/nihon.html

外務省ホームページ「2005年日本国際博覧会」
https://www.mofa.go.jp/mofaj/gaiko/hakurankai.html

国立国会図書館ホームページ「博覧会」
https://www.ndl.go.jp/exposition/index.html

財務省「記念貨幣一覧」
https://www.mof.go.jp/policy/currency/coin/commemorative_coin/list.htm

太陽の塔オフィシャルサイト
https://taiyounotou-expo70.jp/guide/hours/

農林水産省「ミラノ国際博覧会について」
https://www.maff.go.jp/j/council/seisaku/syokusan/bukai_18/pdf/data5.pdf

「愛・地球博閉幕後データ集」
http://www.expo2005.or.jp/jp/jpn/data/index.html

「愛・地球博公式ウェブサイト」
http://www.expo2005.or.jp/jp/

「国際花と緑の博覧会記念協会」
https://www.expo-cosmos.or.jp/about/

は行

ま行

や行

ら行

わ行

た行

な行

さ行

あ行

か行

巻末索引

この本の本文に出てくる万博の名称と用語を、万博は年代順、用語は50音順に並べました。索引の該当ページが複数にわたる場合は、特に詳しく記載されているページを太字にしています。用語が見開きにわたって載っている場合は、右ページのみ記しています。

万博

地方博

※本文および脚注にある各万博のデータはBIEのホームページを参照の上、複数の資料と合わせて確認したものです。

《著者紹介》

稲葉 茂勝（いなば・しげかつ）１・２・５〜９章を担当

1953年東京生まれ。大阪外国語大学、東京外国語大学卒業。国際理解教育学会会員。編集者としてこれまでに1500冊以上を担当。自著も多数。SDGs関連著書も多く、「SDGsのきほん　未来のための17の目標」全18巻（ポプラ社）、『教科で学ぶSDGs学』（今人舎）、「食卓からSDGsを考えよう！」全３巻（岩崎書店）などのほか、万博関連として『2025年大阪・関西万博SDGsガイドブック』（文研出版）がある。2019年にNPO法人「子ども大学くにたち」を設立し、同理事長に就任。以来、「SDGs子ども大学運動」の展開に力を注ぎ、実行委員会の委員長として活動を広めている。また2021年から「SDGs全国子どもポスターコンクール」の実行委員長も務める。

渡邉　優（わたなべ・まさる）３・４章を担当

1956年東京生まれ。東京大学法学部卒業後、外務省に入省、在ジュネーブ政府代表部公使、在キューバ大使などを歴任。退職後、知見をいかして国際関係論の学者兼文筆業へ。2023年度から成蹊大学客員教授。著書に『知られざるキューバ』（ペレ出版）、『SDGs辞典』（ミネルヴァ書房）のほか、稲葉との共著として『これならわかる！SDGsのターゲット169徹底解説』（ポプラ社）などがある。外務省時代の経験・知識により、「SDGs子ども大学運動」の支柱の一人として活躍。国連英検指導検討委員、日本国際問題研究所客員研究員なども務める。

編集：二宮祐子、見学さやか
表紙デザイン：長江知子
本文デザイン：髙橋博美
企画・制作：株式会社 今人舎
校正：渡邉郁夫

※この本の情報は、2023年6月までに調べたものです。今後変更になる可能性がありますので、ご了承ください。

シリーズ・とは何か①
万国博覧会
——知られざる歴史とSDGsとのつながり——

2023年９月30日　初版第１刷発行　〈検印省略〉

定価はカバーに
表示しています

著　　者　稲葉茂勝・渡邉優
発 行 者　杉　田　啓　三
印 刷 者　和　田　淳　子

発行所　株式会社　ミネルヴァ書房
607-8494　京都市山科区日ノ岡堤谷町１
電話代表（075）581-5191
振替口座　01020-0-8076

平河工業社

ISBN978-4-623-09638-1
Printed in Japan